「イラスト会話ブック」の使い方

チケットを取ることはできますか？ ⋯⋯ 日本語
Kann ich noch Karten bekommen? ⋯⋯ 現地語
カン イッヒ ノッホ カルテン ベコメン ⋯⋯ 現地語読み

何人ですか？
Wie Viele Personen?
ヴィー フィーレ ペルゾーネン

3人です
Drei Personen.
ドライ ペルゾーネン

| 日本人 | ドイツ人 |

※日本人と現地のドイツ人とをイラストでわかりやすく示し分けています。左側の男女が日本人、右側の男女がドイツ人を表しています。

大きなイラスト単語

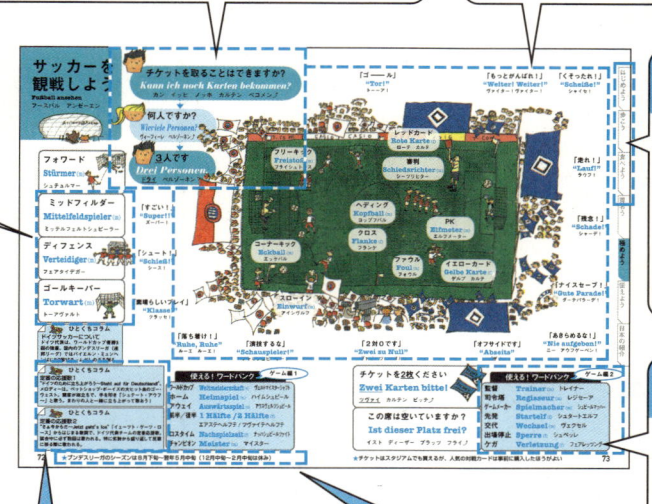

行動別インデックス

旅先でしたいことを行動別に検索できるカラーインデックス。それぞれ行動別に区切りをつけて色別に構成しました。さあ、あなたはこれから何をしますか？

使える！ワードバンク

入れかえ単語以外で、その場面で想定される単語、必要となる単語をひとまとめにしました。ちょっと知っておくと役立つ単語が豊富に揃っています。

ひとくちコラム

お国柄によって異なる文化、マナーやアドバイスなど役立つ情報を小さくまとめました。ほっとひと息つくときに読んでみるのもおすすめです。お国柄にちなんだイラストが案内してくれます。

はみ出し情報

知っておくと便利な情報などを1行でまとめました。おもしろネタもいっぱいで必見です。

はじめよう｜歩こう｜食べよう｜買おう｜極めよう｜伝えよう｜日本の紹介｜知っておこう

本書は、海外旅行先でのコミュニケーションに役立つ本です。外国の人たちとできるだけ近い感覚で会話ができるように、現地語は話し言葉を紹介しています。また、現地語の読みについては、なるべく原音に近い発音で読み仮名を付けています。現地の人たちが日常生活で使っている言葉や単語を旅行者も使ってみることが、異文化コミュニケーションをはかる第一歩です。

イラスト会話ブック 目次 ★ドイツ

はじめよう

マンガ ビッテ合戦？ ……… 4

- あいさつしよう ……………………… 6
- 呼びかけよう ………………………… 8
- 自己紹介しよう ……………………… 10
- ボディランゲージで会話しよう … 12

歩こう

マンガ とっても親切 ……… 14

[さあ、歩こう！　べんりマップ]
- ドイツを歩こう ……………………… 16
- ロマンティック街道・古城街道 … 18
- ライン河・メルヘン街道 …………… 20
- ミュンヘン・ベルリン ……………… 22
- 別の街へ行こう ……………………… 24
- 市内を移動しよう …………………… 26
- 道を尋ねよう ………………………… 28
- 観光しよう …………………………… 30
- ホテルに泊まろう …………………… 32

食べよう

マンガ
- アイスコーヒー ……… 34
- 持ち場 ………………… 35

- レストランへ行こう ………………… 36
- [これ、食べよう！　欲張りメニュー]
- ドイツ料理（南部・西部・中部編） … 38
- ドイツ料理（東部・北部編） ……… 40
- ドイツ料理（デザート編） ………… 42
- お酒（ワイン・ビール・その他のお酒） … 44
- 調理法・味付け ……………………… 46
- 食材を選ぼう ………………………… 48
- ワインケラー ………………………… 50
- ビアホール …………………………… 52
- ファストフード ……………………… 54

買おう

マンガ
- 薄切りの理由？ ……… 56
- エコロジーだから …… 57

- 買い物へ行こう ……………………… 58
- 素材・色・柄 ………………………… 60
- サイズ・スタイル・アイテム ……… 62
- ドイツの名品・おみやげ …………… 64
- 化粧品・アクセサリー・日用品 …… 66
- スーパー・デパートへ行こう ……… 68

ドイツ [Deutschland] ドイツ語

極めよう

マンガ ドイツ式 ……………… 70

サッカーを観戦しよう ……………………… 72
サッカースタジアムで ……………………… 74
クリスマス・祭り …………………………… 76
劇場へ行こう ………………………………… 78
建築・文学 …………………………………… 80
クアハウス・カジノ ………………………… 82

伝えよう

マンガ 時間に正確 …………… 84
とっても正確 ………… 85

数字・序数 …………………………………… 86
年月日・曜日 ………………………………… 88
時間・一日 …………………………………… 90
家族・友だち・性格 ………………………… 92
趣味・職業 …………………………………… 94
自然・動植物 ………………………………… 96
暮らし・家 …………………………………… 98
疑問詞・動詞・助動詞 ……………………… 100
形容詞、感情を伝えよう …………………… 102
[さあ、困った！ お助け会話]
体・体調 ……………………………………… 104
病気・ケガ …………………………………… 106
事故・トラブル ……………………………… 108
column 勤勉・倹約は人生を楽しむための知恵 … 110

日本の紹介

日本の地理 …………………………………… 112
　日本の山・日本三景・三名城 …………… 112
　世界遺産 …………………………………… 113
日本の一年 …………………………………… 114
日本の文化 …………………………………… 116
　伝統工芸 …………………………………… 116
　伝統芸能と武道 …………………………… 117
日本の家族 …………………………………… 118
日本の料理 …………………………………… 120
日本の生活 …………………………………… 122
column 議論好きのドイツ人は、ジョークも大好き … 124

知っておこう

ドイツまるわかり ……………………………126
　国のあらまし/ドイツ　旅のヒント/温度比較 …126
　度量衡 ………………………………………127
ドイツ語が上達する文法講座 ………………128
　講座1　文字と発音を知ろう ………………128
　講座2　ドイツ語は難解な言葉？
　　　　　まずはしくみを知ろう …………128
　講座3　無理に何でも憶えようとしない
　　　　　ことがポイント …………………130
ドイツにまつわる雑学ガイド ………………132
ドイツ語で手紙を書こう! ……………………135
50音順ドイツ語単語帳 ………………………136
　お役立ち単語
　出入国編 …… 137　電話・通信編 … 138
　両替編 ……… 141

# はじめよう

まずは、"bitte（ビッテ）"から始めましょう。「どうぞ」も「すみません」も「どういたしまして」も、みんな "bitte" なのです。

ビッテ合戦？

ドイツにかぎらず、欧米では一般的にレディファースト

あ、エレベーターが来た

それにまだ不慣れだった私がデパートに行ったときのこと

この人が先に待っていたのだから、この人の後に乗ろう

ビッテ（どうぞ）

いえいえあなたがお先に

ビッテ

ビッテ

あこ：世界中を旅するきままな日本人女子。モデルはあなたかもしれません。

| はじめよう | 歩こう | 食べよう | 買おう | 極めよう | 伝えよう | 日本の紹介 |

ビッテ　ビッテ
こうして、お互い

ビッテ　ビッテ
「ビッテ」を

ビッテ　ビッテ
言い合うハメに

おまえが先に乗るんだっっ
じゃないとおれが乗れないのっ!!

はっ　しまった

・・・・

ここドイツでは男性にどうぞと言われたら、女性は先に乗らなければいけないのでした。

…ダンケシェーン　ビッテ（どういたしまして）

5

あいさつしよう

Begrüßung
ベグリュースング

こんにちは
Guten Tag.
グーテン　ターク

会えてうれしいです
Ich freue mich, Sie zu sehen.
イッヒ　フロイエ　ミッヒ　ズィー　ツー　ゼーエン

ごきげんいかが？
Wie geht's?
ヴィー　ゲーツ♪

お世話になりました
Herzlichen Dank für Ihre Hilfe.
ヘルツリヒェン　ダンク　フュア　イーレ　ヒルフェ

失礼いたします（丁寧な「さようなら」）
Auf Wiedersehen.
アウフ　ヴィーダーゼーエン

おやすみなさい
Gute Nacht.
グーテ　ナハト

●丁寧なあいさつ

こんにちは。ご機嫌いかがですか？
Guten Tag. Wie geht es Ihnen(dir)?
グーテン　ターク　ヴィー　ゲート　エス　イーネン（ディーア）♪

ありがとう、私は元気です。あなたはいかがですか？
Danke, gut. Und Ihnen(dir)?
ダンケ　グート　ウント　イーネン（ディーア）♪

ありがとう、大変いいです
Danke, sehr gut.
ダンケ　ゼーア　グート

さようなら
Auf Wiedersehen.
アウフ　ヴィーダーゼーエン

さようなら。よい1日を
Auf Wiedersehen. Einen schönen Tag.
アウフ　ヴィーダーゼーエン　アイネン　シェーネン　ターク

★相手の名前が分かっているときは、最後に名前をつけてあいさつしよう

おはよう **Guten Morgen.** グーテン　モルゲン	こんばんは **Guten Abend.** グーテン　アーベント
今度また会おう **Bis bald.** ビス　バルト	うまくいくように祈っているよ **Viel Glück!** フィール　グリュック

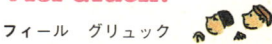

最高（調子が） **Sehr gut** ゼーア　グート	まあまあ **Es geht** エス　ゲート
よくない **Nicht gut** ニヒト　グート	最悪 **Schlecht** シュレヒト

ひとくちコラム
いろいろな「こんにちは」
同じあいさつをするにしても、時と場合、あるいは相手によっていろいろな言い方があるのはドイツでも同じ。たとえば普通の「こんにちは」は "Guten Tag!（グーテン　ターク）"だが、もっと一般的なくだけた「こんにちは」になると "Grüß Dich!（グリュース　ディッヒ）" と言う。
また地方によっても違いがあり、北部地方では "Moin Moin.（モインモイン）"、南部地方では "Servus.（ゼアブス）" という言い方もする。さらに南部やオーストリア方面には、"Grüß Gott.（グリュースゴット）" という丁寧な表現もある。

●気軽なあいさつ

どうしてるの？
Wie läufts?
ヴィー　ロイフツ⤴

コンチハ（「こんにちは」の非常にくだけた言い方）
Tagchen!
タークヒエン

ええ、悪くないわ
Nicht schlecht.
ニヒト　シュレヒト

まあまあだね。君は？
Solala. Und du?
ゾーララ　ウント　ドゥ⤴

バイバイ、また近いうちにね
Tschüss, bis bald.
チュス　ビス　バルト

じゃあ、元気でね
Tschüss.
チュス

★親しい間柄ならHallo（ハロー）でもOK!

はじめよう｜歩こう｜食べよう｜買おう｜極めよう｜伝えよう｜日本の紹介

呼びかけよう

Anruf
アンルーフ

すみませーん！
Entschuldigung.
エントシュルディグング

はい、何かご用ですか？
Kann ich Ihnen helfen?
カン イッヒ イーネン ヘルフェン♪

コーヒーをお願いします
Eine Tasse Kaffee, bitte.
アイネ タッセ カフェ ビッテ

かしこまりました
Jawohl.
ヤヴォール

ありがとう
Danke.
ダンケ

どういたしまして
Bitte schön.
ビッテ シェーン

どうもありがとう
Danke schön.
ダンケ シェーン

申し訳ありません
Es tut mir sehr Leid.
エス トゥート ミア ゼア ライト

分かりません。もう一度言ってください
Ich verstehe nicht. Können Sie das wiederholen?
イッヒ フェアシュテーエ ニヒト ケネン ズィー ダス ヴィーダーホーレン♪

ゆっくりと話してください
Sprechen Sie bitte langsamer.
シュプレッヘン ズィー ビッテ ラングザーマー

O.K.
O.K.
オーケー

ここに書いてください
Schreiben Sie es bitte auf.
シュライベン ズィー エス ビッテ アウフ

了解
Ich verstehe.
イッヒ フェアシュテーエ

はい、お願いします
Ja, bitte.
ヤー ビッテ

いいえ、結構です
Nein, danke.
ナイン ダンケ

★不意にくしゃみが出てしまった場合など、失礼をわびる場合にもEntschuldigung.を使う

男性への呼びかけ	女性への呼びかけ	若い女性への呼びかけ
Herr ヘア	**Frau** フラウ	**Fräulein** フロイライン

どうかしましたか？
Was ist los?
ヴァス イスト ロース♪

え、何？
Wie bitte?
ヴィー ビッテ♪

ちょっと伺ってよろしいでしょうか？
Darf ich Sie etwas fragen?
ダルフ イッヒ ズィー エトヴァス フラーゲン♪

そうですか
Ach so.
アッハ ゾー

もちろん（いいですよ）
Natürlich.
ナテューアリヒ

失礼しまーす
Entschuldigung.
エントシュルディグング

ホント!?
Echt?
エヒト♪

ウッソー!?
Wirklich!?
ヴィルクリヒ♪

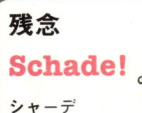

ごめんなさい
Entschuldigen Sie, bitte.
エントシュルディゲン ズィー ビッテ

おもしろーい!!
interessant
インテレサント

すごい
Super!
ズーパー

大丈夫、気にしないで
Kein, Problem.
カイン プロブレーム

残念
Schade!
シャーデ

★はいJaといいえNeinははっきり言おう

はじめよう / 歩こう / 食べよう / 買おう / 極めよう / 伝えよう / 日本の紹介

自己紹介しよう

Selbstvorstellung
ゼルプストフォアシュテルング

初めまして 私の名前はアヤです
Ich freue mich, Sie kennen zu lernen.
Mein Name ist Aya.
イッヒ フロイエ ミッヒ ズィー ケネン ツー レルネン
マイン ナーメ イスト アヤ

日本からやってきました
Ich komme aus Japan.
イッヒ コメ アウス ヤーパン

学生です
Ich bin Studentin.
イッヒ ビン シュトゥデンティン

私は21歳です
Ich bin einundzwanzig Jahre alt.
イッヒ ビン アインウントツヴァンツィヒ ヤーレ アルト

あなたは結婚していますか？
Sind Sie verheiratet?
ズィント ズィー フェアハイラーテット↗

旅の目的は、観光です
Der Zweck meiner Reise ist Tourismus.
デア ツヴェック マイナー ライゼ
イスト トウリスムス

ありがとう。さようなら
Danke. Auf Wiedersehen.
ダンケ アウフ ヴィーダーゼーエン

これが私の電話番号です
Das ist meine Telefonnummer.
ダス イスト マイネ テレフォーンヌマー

会社員
Angestellte (m, f)
アンゲシュテルテ

自営業者
selbstständig (m, f)
ゼルプストシュテンディッヒ

公務員
Beamte (-tin)
ベアムテ (ティン)

主婦
Hausfrau (f)
ハウスフラウ

無職
arbeitslos (m, f)
アルバイツロース

仕事
Arbeit (f)
アルバイト

勉強
studieren
シュトディーレン

グルメ
Feinschmecker (m)
ファインシュメッカー

こんにちは、私はグーテンベルクです。ミュンヘンに住んでいます
Guten Tag. Ich bin Gutenberg. Ich wohne in München.
グーテン　ターク　イッヒ　ビン　グーテンベルク　イッヒ　ヴォーネ　イン　ミュンヘン

グッチと呼んでください
Sagen Sie Gucci zu mir.
ザーゲン　ズィー　グッチ　ツー　ミア

あなたの職業は何ですか？
Was sind Sie von Beruf?
ヴァス　ズィント　ズィー　フォン　ベルーフ↗

何歳ですか？
Wie alt sind Sie?
ヴィー　アルト　ズィント　ズィー↗

はい、結婚しています
Ja, ich bin verheiratet.
ヤー　イッヒ　ビン　フェアハイラーテット

旅の目的は何ですか？
Was ist der Zweck Ihrer Reise?
ヴァス　イスト　デア　ツヴェック　イーラー　ライゼ↗

では、よい旅を。さようなら
Gute Reise. Auf Wiedersehen.
グーテ　ライゼ　アウフ　ヴィーダーゼーエン

あなたのメールアドレスを教えてください
Könnten Sie mir Ihre Mailadresse sagen?
ケンテン　ズィー　ミア　イーレ　メイルアドレッセ　ザーゲン↗

あなたの住所をここに書いてください
Schreiben Sie Ihre Adresse bitte hierauf.
シュライベン　ズィー　イーレ　アドレッセ　ビッテ　ヒーア　アウフ

既婚
Verheiratete (m, f)
フェアハイラーテテ

独身
Ledige (m, f)
レーディゲ

ドイツ
Deutschland (n)
ドイチュラント

ドイツ人
Deutscher (m) / **Deutsche** (f)
ドイチャー／ドイチェ

日本
Japan (n)
ヤーパン

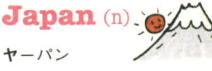

日本人
Japaner (-in)
ヤパーナー（リン）

はじめよう／歩こう／食べよう／買おう／極めよう／伝えよう／日本の紹介

★相手の名前を尋ねるときは、まず自分から先に名乗るようにしよう

ボディーランゲージで会話しよう

Körpersprache
ケルパーシュプラーヘ

身振りで伝えてみよう

ドイツ人にとっては、ボディランゲージもコミュニケーションの大切な手段。初めはちょっと戸惑うかもしれないが、まず、相手のサインを読み取ることから始めて、次第に知識を広げていこう。

飲みに行きましょう
Lasst wir etwas trinken!
ラスト ヴィア エトヴァス トリンケン！

親指と小指を伸ばして握ったこぶしをビールジョッキに見立てる

電話します
Ich ruf Dich an
イッヒ ルーフ ディッヒ アン

親指と小指を伸ばして耳に近づけ受話器を持って電話をするポーズをする

いいね！
Gut!/Prima!
グート！／プリーマ

やったね！という時に使う。最高！の時は、両手で。笑顔も忘れずに

幸運を！
Viel Glück!
フィール グリュック

人さし指と中指を重ね、相手に向ける。十字架を表し、「神様のご加護を」の意味

おいしい！
Sehr gut!/Lecker!
ゼア グート/レッカー！

親指、人さし指、中指を唇に持っていき、はなす際にチュパと開く

まあまあ！
Soso
ゾーゾー

調子がまあまあの時の答え。手のひらを下にし水平にひらひらする

お手上げよ！
Ich gebe es auf
イッヒ ゲーベ エス アウフ

両手を高く掲げて投げ出す仕草をする。笑顔で行うと歓迎の意味

お金／高い／けち
Geld/teuer/geizig
ゲルト／トイアー／ガイツィヒ

指先をこすり合せて、お札を勘定している仕草をする。転じて、値段が高い場合にも使う

★レストランなどで会計を頼む場合は、手のひらに字を書くジェスチャーをする

指で数えてみよう

日独で書き文字の数字の読み方が違うのは数字のページ（→P86）で紹介するが、指での数え方も、日本が人差し指から順にして数えていくのに対して、ドイツでは、親指から順番に数えていく。

1　2　3　4　5

〔郷に入らば、ドイツのマナー〕

「郷に入れば、郷に従え」ということわざにもあるように、旅行者とはいえ、訪れた国のルールに従うのは、当然のこと。最低限のマナーを守って、楽しく旅行を続けよう。ここでは、欧米の代表的なマナーをいくつか紹介する。

握手をする
初対面の場合、まず握手を交わす。キチンと握り合い、2〜3回上下に振ったらすぐに手を引くのがマナー

レディーファースト
日本では、あまり馴染みがないが、欧米では当たり前のこと。常に女性を優先させよう

キス・ハグ
家族、恋人、友人など、親しい間柄の人たちの挨拶として使われる。初対面で使うことはあまり好まれない

アイコンタクト
相手の目をしっかりと見て話す。相手に対して敬意を表し、さらに自分自身を信用してもらうことにつながる

スマイル
微笑むことで、相手に肯定的な感情を持っていることを伝える。目が合ったら、あいさつを添えて軽く微笑もう

大きな声で話す
主張社会のドイツでは、小さな声は、自信のなさの表れと解釈される。相手にはっきりと伝わる大きな声で話そう

ドアの開閉
出入りするときは、後ろに人がいないか確認。後ろの人が手をかけるまでドアを押さえておくのが親切

空きのサイン
トイレやバスルームのドアは、使い終わったら少し開けておき、次の人に空室であることを知らせるサインにする

横断歩道
日本では、あまり見かけないが、道を横断する時は、軽く手を上げよう。欧米では事故に遭いかねない

はじめよう
歩こう
食べよう
買おう
極めよう
伝えよう
日本の紹介

歩こう

古い街並みやお城など、ドイツには、いろいろなみどころが。
そして、とても「世話好きな」人がいるのです。

とっても親切

〜〜〜〜〜
〜〜〜〜〜
え〜と

ハンブルク駅で

〜〜〜〜〜
〜〜〜〜〜
〜〜〜〜〜

ああ…早すぎて
何言ってるのか
わからない…
親切っぽい
感じだけど…

〜〜〜〜〜

?

〜〜〜〜〜

私の席を見つけ
てくれたんだ！

え？
あなたは
乗らないの

次の電車に乗る
って言ってるのか
な？

なんて親切
な人なの

じ〜〜ん

え？

なんて言ってるの？

…わからなかった

すみません…あの人、何て言ってたんですか？

「あとから入ってきた男は**危なそう**だから気をつけなさい」って

ひ〜

あとから入ってきた男→

はじめよう

歩こう

食べよう

買おう

極めよう

伝えよう

日本の紹介

ドイツを歩こう

Deutschland reisen
ドイチュラント ライゼン

中世以来、分立していた多くの小国が集まってできたドイツでは、地方ごとに異なる文化が育まれてきた。ベルリンやミュンヘンなどの大都市はもちろん、ロマンティック街道やメルヘン街道、ライン河など、個性あふれるルートもドイツ旅の魅力だ。

ゲーテ
ドイツを代表する文豪。『若きウェルテルの悩み』、『ファウスト』は彼の代表作

ブレーメンの市庁舎とローラント像
ハンザ自由都市時代の象徴。ローラント像には街の権利と平和を象徴する言葉が書かれている

ケルンの大聖堂
空にそびえる2つの塔、ゴシック様式の巨大な聖堂は世界遺産

フランクフルトのレーマー
3棟の切妻屋根の建物

ライン河&マルクスブルク城
かつてライン河にはいくつもの税関所が設けられた。プファルツ城もそのひとつ

主な世界遺産　Welfkulfurerbe

ライン河流域のロマンティックライン	Romantischer Rhein
ケルンの大聖堂	Kölner Dom
ブレーメンの市庁舎とローラント像	Bremer Rathaus&Roland
バンベルクの旧市街	Bamberger Altstadt
ヴュルツブルクのレジデンツ	Würzburger Residenz
ヴィース教会	Wieskirche
ベルリンの博物館島	Berliner Museumsinsel

★ライン河の東、ドナウ河の北を占める黒い森Schwarzwaldは、ドイツ人の心の拠りどころ

どこがおすすめですか?
Wo würden Sie mir empfehlen?
ヴォー　ヴュルデン　ズィー　ミアー　エムプフェーレン↗

バーデンバーデンです
Ich empfehle Baden Baden.
イッヒ　エムプフェーレ　バーデンバーデン

そこには何がありますか?
Was gibt es dort?
ヴァス　ギープト　エス　ドルト↗

クアハウスがあります
Es gibt dort ein Kurhaus.
エス　ギープト　ドルト　アイン　クーアハウス

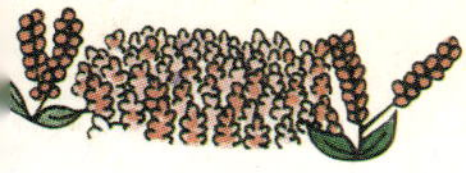

···エリカの花
8月から9月にかけて、ハイデとよばれる荒野をエリカの花がピンク色に染める

メクレンブルク・フォアポンメルン州
シュヴェリーン
ブランデンブルク州
ゼン
ハルト州　ベルリン州
●ベルリン P23
デブルク
●ポツダム
エルベ川 Elbe
ゲーテ街道
●ライプツィヒ
●ドレスデン
ザクセン州
マール
リンゲン州
古城街道 P18
レンベルク
●レーゲンスブルク
ドナウ河 Donau
バイエルン州
●パッサウ
イン川 Inn
ミュンヘン P22
アルペン街道
ミッシュ・デンキルヘン
ベルビデスガーデン

ベルリンの ブランデンブルク門
東西分断の象徴。かつてはベルリンの壁の一部だった。4頭立ての2輪馬車に乗る門上の勝利の女神は有名

ローテンブルクの 赤い屋根の街並み
城壁に囲まれて、赤い屋根の家々が並ぶ町は中世の面影を今に伝えている

ドイツアルプスの山々
アルプスの北麓に沿って美しい山と湖が点在する

ミュンヘンの 新市庁舎
32体の人形が歴史劇を繰り広げる、ドイツ最大の仕掛け時計は必見

★クアハウスとはカジノなどの娯楽施設のこと。温泉はThermalbad(n)という(→P82)

はじめよう | 歩こう | 食べよう | 買おう | 極めよう | 伝えよう | 日本の紹介

ロマンティック街道・古城街道

Romantische Straße, Burgenstraße
ロマンティッシェ　シュトラーセ、
ブルゲン　シュトラーセ

古城街道
Burgenstraße ブルゲンシュトラーセ
選帝侯の街マンハイムからチェコのプラハまで約1000kmを結ぶ。ハイデルベルク城をはじめ70余りの古城や宮殿が立ち並ぶ。

ハイデルベルク城
旧市街とネッカー川を一望する小高い山の中腹に立つ古城

ヴュルツブルク Würzburg
クレクリンゲン Creglingen
バート・メルゲントハイム Bad Mergentheim
ヴァイカースハイム Weikersheim
ローテンブルク Rothenburg o der Tauber
マンハイム Mannheim
ハイデルベルク Heidelberg
ハイルブロン Heilbronn am Neckar
シュヴェービッシュ・ハル Schwäbisch Hall

フランケンワイン
ボックスボイテルという扁平型のボトルが特徴。コクのある辛口の白が最高

タマネギパイ
生地の上にタマネギとクリームを流して焼いたドイツ版キッシュ。ネッカー川沿いエリアの秋の味

ローテンブルク／市庁舎と仕掛け時計
ルネサンス様式の市庁舎の向かいにある市議会員宴会館の壁には、ジョッキのワインを飲み干す仕掛け時計がある

名物料理は何ですか？
Was gibt es hier für lokale Spezialitäten?
ヴァス　ギープト　エス　ヒアー　フュアー　ロカーレ　シュペツィアリテーテン♪

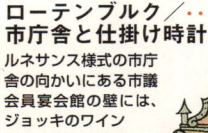

タマネギパイが美味しいですよ
Der Zwiebelkuchen ist lecker.
デアー　ツヴィーベルクーヘン　イスト　レッカー

📷 ロマンティック街道の主なみどころ

ヴュルツブルク／マリエンベルク城
Festung Marienberg フェストゥングマリエンベルク
ローテンブルク／聖ヤコブ教会
St.Jakobs Kirche ザンクトヤコブスキルヒェ
ローテンブルク／市壁
Stadtmauer シュタットマウアー
ネルトリンゲン／聖ゲオルク教会
St.Georgskirche ザンクトゲオルクスキルヒェ
アウクスブルク／フッゲライ
Fuggerei フッゲライ
フュッセン／ヴィース教会
Wieskirche ヴィースキルヒェ

📷 古城街道の主なみどころ

ハイデルベルク／ツム・ローテン・オクセン
Zum Roten Ochsen ツムローテンオクセン
ハイルブロン／市庁舎
Rathaus ラートハウス
ニュルンベルク／職人広場
Handwerkerhof ハントヴェルカーホーフ
バンベルク／大聖堂　**Dom** ドーム
バイロイト／辺境伯オペラハウス
Markgräfliches Opernhaus
マルクグレーフリッヒェスオーペルンハウス
レーゲンスブルク／石橋
Steinerne Brücke シュタイネルネブリュッケ

★主なみどころは「都市名／みどころ」の順に掲載しています

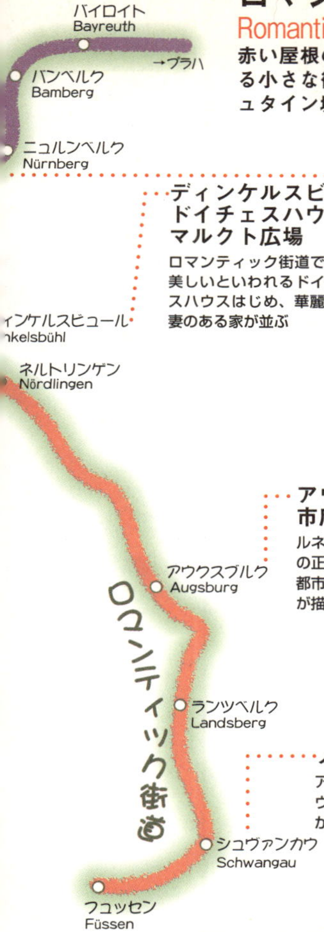

ロマンティック街道
Romantische Straße ロマンティッシェシュトラーセ

赤い屋根の家並みに中世の面影を留める小さな街が点在。ノイシュヴァンシュタイン城はこの街道のハイライト。

バイロイト
Bayreuth

→プラハ

バンベルク
Bamberg

ニュルンベルク
Nürnberg

ディンケルスビュール／ドイチェスハウスとマルクト広場
ロマンティック街道で最も美しいといわれるドイチェスハウスはじめ、華麗な切妻のある家が並ぶ

ンケルスビュール
nkelsbühl

ネルトリンゲン
Nördlingen

ヴュルツブルクのレジデンツ
17世紀、司教の居城として建造。ドイツ・バロック様式の傑作といわれる。世界遺産

アウクスブルクの市庁舎
ルネサンス様式の建物の正面には、帝国自由都市の象徴、双頭の鷲が描かれている

アウクスブルク
Augsburg

ロマンティック街道

ランツベルク
Landsberg

ノイシュヴァンシュタイン城
アルプ湖を見下ろす幽玄の断崖に立つルートヴィヒ2世の夢の城。エレガントなフォルムから「白鳥の城」ともよばれる

シュヴァンガウ
Schwangau

フュッセン
Füssen

ヨーロッパバスの乗り場はどこですか？
Wo ist die Bushaltestelle für Europabus?
ヴォー イスト ディー ブスハルテシュテッレ フュアー オイローバス♪

駅前にあります
Es ist direkt vor dem Bahnhof.
エス イスト ディレクト フォアー デーム バーンホーフ

はじめよう / 歩こう / 食べよう / 買おう / 極めよう / 伝えよう / 日本の紹介

★おとぎ話のような街並みを眺めるなら塔に上ろう。市庁舎や市教会などに、たいていある

ライン河・メルヘン街道

Rheinfluß, Märchenstraße
ラインフルス、
メルヒェンシュトラーセ

乗船時刻は何時ですか？
Um wieviel Uhr muss man an Bord gehen?
ウム ヴィーフィール ウアー ムス マン アン ボルト ゲーエン

4時30分です
Um vier Uhr dreißig.
ウム フィアー ウアー ドライスィヒ

ライン河
Rhein Fluss ラインフルス

中世、商業の大動脈として繁栄したライン河流域。いくつもの古城やケルンなどの街はその富を象徴だ。

ラインガウ
ラインガウとは、ライン河に沿ったドイツを代表する最高級ワインの生産地。風光も素晴らしい地域だ

コブレンツ／ドイチェス・エック
ライン河とモーゼル川の合流点。その形から「ドイツの角」とよばれている

デュッセルドルフ／アルトビア
色の濃いデュッセルドルフの地ビール。旧市街は「世界一長いバーのカウンター」といわれる

アスマンズハウゼン／ゾーンエック城
11世紀の建造。盗賊騎士の根城となり13世紀に破壊された。現在はレストランと博物館

ビンゲン／ネズミの塔
通行税を取るための塔だった。残忍な大司教がネズミに食い殺されたという伝説がある

地図:
- デュッセルドルフ Düsseldorf
- ケルン Köln
- ボン Bonn
- コブレンツ Koblenz
- トリーア Trier
- サンクト・ゴアール St. Goar
- ビンゲン Bingen
- マインツ Mainz
- アスマンズハウゼン Assmannshausen
- リューデスハイム Rüdesheim
- ヴィースバーデン Wiesbaden
- フランクフルト Frankfurt am Main
- ライン河

リューデスハイム／ブドウ畑
ラインワインの生産地。「つぐみ横丁」とよばれる通りにはワイン酒場が軒を連ねる

ライン河の主なみどころ

ヴィースバーデン／カイザー・フリードリヒ・テルメ
Kaiser Friedrich Therme カイザーフリードリヒテルメ

リューデスハイム／つぐみ横丁
Drosselgasse ドロッセルガッセ

ザンクト・ゴアール／ローレライ **Loreley** ローレライ

ザンクト・ゴアール／ラインフェルス城
Schlosshotel & Villa Rheinfels シュロスホテルウントヴィラ ラインフェルス

ケルン／大聖堂 **Dom** ドーム

デュッセルドルフ／ハイネの研究所
Heinrich Heine Institut ハインリッヒハイネ インスティテュート

★主なみどころは「都市名／みどころ」の順で掲載しています

メルヘン街道
Märchenstraße
メルヒェン シュトラーセ

グリム兄弟ゆかりの街を童話の舞台を結ぶ街道。さらに北に進むと中世のハンザ同盟都市が点在する。

旧市街はどこですか?
Wo ist die Altstadt?
ヴォー イスト ディー アルトシュタット♪

あの川の向こうです
Es ist jenseits des Flusses.
エス イスト イェーンザイツ デス フルセス

ブレーメン／音楽隊像
ブレーメンの音楽隊は、ご主人に追い出されたロバ、犬、ネコ、ニワトリが音楽隊に入るため旅する愉快な物語

メルヘン街道

ブレーメン / Bremen
ハーメルン / Hameln
トレンデルブルク城 / Burg Trendelburg
ザバブルク城 / Schloss Sababurg
ゲッティンゲン / Göttingen
カッセル / Kassel
ハン・ミュンデン / Hann Münden
マールブルク / Marburg
アルスフェルト / Alsfeld
シュタイナウ / Steinau
ハーナウ / Hanau
フランクフルト / Frankfurt am Main

ハーメルン／ネズミ捕り男
ハーメルンのネズミ捕り男とは、街の人に裏切られた仕返しに笛の音で子供たちを誘い出し、連れ去ってしまった…というちょっぴり怖い伝説

ゲッティンゲン／がちょう番の娘 リーゼルの像
イジワルな侍女に代わって、自分がガチョウの番をする心優しい姫のお話

アルスフェルト／市庁舎
『赤ずきん』の舞台となった街。木組みの市庁舎が美しい

📷 メルヘン街道の主なみどころ

シュタイナウ／グリム兄弟ハウス
Brüder-Grimm Haus　ブリューダーグリムハオス

ハン・ミュンデン／木組みの家並み
Hann Münden　ハンミュンデン

カッセル／グリム兄弟博物館
Brüder-Grimm-Museum　ブリューダーグリムムゼーウム

ゲッティンゲン／ラーツケラー　**Ratskeller**　ラーツケラー

ハーメルン／ネズミ捕り男の家
Rattenfängerhaus　ラッテンフェンガーハオス

ブレーメン／シュノーア地区
Schnoorviertel　シュノーアフィルテル

★ゲッティンゲン大学で博士号を取得した学生は、リーゼルの像にキスをするのが昔からの慣わし

ミュンヘン・ベルリン

München, Berlin
ミュンヘン, ベルリーン

街を見て回りたいのですが
Wollen Sie sich die Stadt anschauen?
ヴォレン ズィー ズィッヒ ディー シュタット アンシャウエン♪

トラムに乗るといいですよ
Es ist gut, wenn Sie die Straßenbahn benutzen.
エス イスト グート ヴェン ズィー ディー シュトラーセンバーン ベヌッツェン

ミュンヘン
München ミュンヘン

バイエルン王国の首都として芸術文化が華開いた街。ビールの町としても知られる。

アルテ・ピナコテーク
ルートヴィヒ1世が王家のコレクションを提供してできた古典絵画の殿堂

レジデンツ
700年にわたってバイエルンを治めてきたヴィッテルスバッハ家の宮殿

フラウエン教会
タマネギ型の屋根の塔。南側の塔には、エレベーターと階段で上ることができる

マリエン広場
新ゴシック様式の新市庁舎が立つ街の中心。さまざまなパフォーマンスが行われている

ヴィクトアリエン市場
ミュンヘン最大の青空市場。焼きソーセージや手作り小物など、楽しい店も並ぶ

ホーフブロイハウス
バイエルン宮廷ビール醸造所直営ビアホール。ヒトラーがナチスの旗揚げをしたことでも有名

地図内:
- アルテ・ピナコテーク Alte Pinakothek
- ノイエ・ピナコテーク Neue Pinakothek
- イギリス庭園 Englischer Garten
- ピナコテーク・デア・モデルネ Pinakothek der Moderne
- レーンバッハハウス 市立美術館 Städtische Galerie im Lenbachhaus
- レジデンツ Residenz
- ミュンヘン中央駅 MÜNCHEN HBF
- フラウエン教会 Frauen Kirche
- バイエルン州立歌劇場 Bayerische Staatsoper
- ホーフブロイハウス Hofbräuhaus
- 新市庁舎 Neues Rathaus
- マリエン広場 Marien Pl.
- ヴィクトアリエン市場 Viktualien Markt

📷 ミュンヘンの主なみどころ

ノイエ・ピナコテーク	**Neue Pinakothek**	ノイエピナコテーク
ピナコテーク・デア・モデルネ	**Pinakothek der Moderne**	ピナコテーク デア モデルネ
聖ミヒャエル教会	**St.Michaels Kirche**	ザンクト ミヒャエル キルヒェ
イギリス庭園	**Englischer Garten**	エングリッシャーガルテン
バイエルン州立歌劇場	**Bayerische Staatsoper**	バイリッシェ シュターツオパー
ニンフェンブルク城	**Schloß Nymphenburg**	シュロス ニンフェンブルク

★ニンフェンブルクとは「妖精の城」の意味。ミュンヘン郊外にあり、トラムに乗って約15分

ベルリン
Berlin ベルリーン

目ざましい発展を遂げる新生ドイツの首都。政治の中心であり、アートやカルチャーシーンでも注目の的。

ショッピングを楽しみたいのですが
Wollen Sie einkaufen gehen?
ヴォレン　ズィー　アインカウフェン　ゲーエン♪

クーダムへ行くといいですよ
Da sollten Sie auf den Kuhdamm gehen.
ダー　ゾルテン　ズィー　アウフ　デン　クーダム　ゲーエン

シャルロッテンブルク宮殿
プロイセン国王の夏の離宮。歴代王妃のお気に入りで、華やかな宮廷文化の発信地だった

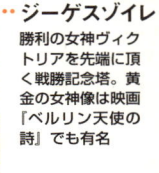

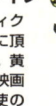

ジーゲスゾイレ
勝利の女神ヴィクトリアを先端に頂く戦勝記念塔。黄金の女神像は映画『ベルリン天使の詩』でも有名

博物館島
世界の至宝を集めた世界遺産の博物館島。古代神殿を再現したペルガモン博物館は必見

地図ラベル：
- シャルロッテンブルク宮殿 Schloss Charlottenburg
- ミッテ地区 Mitte
- 博物館島 Museumsinsel
- ブランデンブルク門 Brandenburger Tor
- ウンター・デン・リンデン Unter den Linden
- ジーゲスゾイレ（戦勝記念塔）Siegessäule
- ティーアガルテン Tiergarten
- ポツダム広場 Potsdamer Pl.
- クーダム Kurfürstendamm
- ツォー駅 ZOOLOGISCHER GARTEN BHF.

ポツダム広場
統一後、真っ先に再開発が始まった。ソニーセンターをはじめ、高層ビルが林立する

クーダム
全長3.5kmの大ショッピングストリート。高級ブランド、レストラン、カフェ、ホテルなどが軒を連ねる

📷 **ベルリンの主なみどころ**

ペルガモン博物館	**Pergamon Museum**	ペルガモン　ムゼウム
テレビ塔	**Fernsehturm**	フェルンゼートゥルム
ブランデンブルク門	**Brandenburger Tor**	ブランデンブルガー　トーア
カイザー・ヴィルヘルム記念教会	**Kaiser-Wilhelm-Gedächtnis Kirche**	カイザーヴィルヘルムゲデヒトニス　キルヒェ
ミッテ地区	**Mitte**	ミッテ
ダーレム	**Dahlem**	ダーレム

★東西冷戦下の1961年、突如建設されたベルリンの壁。ポツダム広場などに一部が残されている

（縦タブ：はじめよう／歩こう／食べよう／買おう／極めよう／伝えよう／日本の紹介）

別の街へ行こう

Fortbewegung zwischen Städten
フォルトベヴェーグング ツヴィッシェン シュテーテン

フランクフルトまでの切符を1枚（2枚）ください
Eine(zwei) Fahrkarte nach Frankfurt, bitte.
アイネ（ツヴァイ） ファールカルテ ナーハ フランクフルト ビッテ

1等車ですか？
Erster Klasse?
エアスター クラッセ↑

2等車です
Zweite Klasse, bitte.
ツヴァイテ クラッセ ビッテ

片道切符
einfache Karte (f)
アインファッヘ カルテ

往復切符
Rückfahrkarte (f)
リュックファールカルテ

食堂車
Speisewagen (m)
シュパイゼヴァーゲン

満席
voll
フォル

喫煙席
Raucherplatz (m)
ラウハープラッツ

禁煙席
Nichtraucherplatz (m)
ニヒトラウハープラッツ

●駅の構内

特急列車
Express (m)
エクスプレス

「普通列車」
Regionalzug (m)
レギオナールツーク

車掌
Schaffner (m)
シャフナー

切符売り場
Fahrkartenschalter (m)
ファールカルテンシャルター

番線
Gleis (n)
グライス

コインロッカー
Schließfach (n)
シュリースファッハ

券売機
Fahrkartenautomat (m)
ファールカルテンアウトマート

プラットフォーム
Bahnsteig (m)
バーンシュタイク

★ドイツ国内を網羅するドイツ鉄道は通称DB（デーベー）

ミュンヘン行きの列車にこのホームで乗れますか？
Fährt der Zug nach München von diesem Bahnsteig ab?
フェーアト デア ツーク ナーハ ミュンヒェン フォン ディーゼム バーンシュタイク アプ↗

はい
Ja.
ヤー

いいえ
Nein.
ナイン

ありがとう
Danke schön.
ダンケ シェーン

何番ホームですか？
Von welchem Gleis?
フォン ヴェルヒェム グライス↗

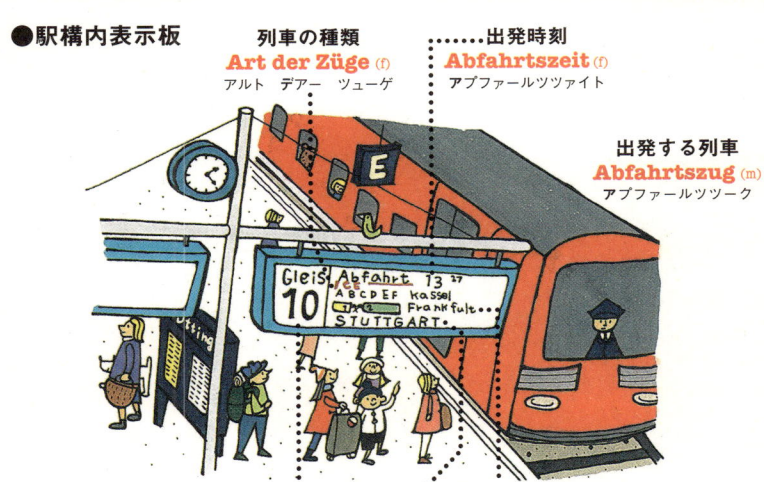

● 駅構内表示板

列車の種類
Art der Züge (f)
アルト デアー ツューゲ

出発時刻
Abfahrtszeit (f)
アプファールツツァイト

出発する列車
Abfahrtszug (m)
アプファールツツーク

ホーム番号
Bahngleisnummer (f)
バーングライスヌンマー

目的地
Reiseziel (n)
ライゼツィール

補足表示（経由）
Zusatzanzeige (f)
ツーザッツアンツァイゲ

遅れ	直行バス	有効期間
Verspätung (f) フェアシュペートゥング	**Direktbus** (m) ディレクトブス	**Gültigkeitsdauer** (f) ギュルティヒカイツダウアー
無効	出発	到着
nicht gültig ニヒト ギュルティヒ	**Abfahrt** (f) アプファールト	**Ankunft** (f) アンクンフト

★ドイツでは改札口がないことが多く、検札は車内で行われる

はじめよう / 歩こう / 食べよう / 買おう / 極めよう / 伝えよう / 日本の紹介

市内を移動しよう

Fortbewegung innerhalb der Stadt
フォルトベヴェーグング インナーハルプ デア シュタット

レーマー駅へ行きたいのですが
Ich möchte zum Römer Bahnhof gehen.
イッヒ メヒテ ツム レーマー バーンホーフ ゲーエン

いくつ目の駅ですか?
Die wievielte Station ist es?
ディー ヴィーフィールテ シュタツィオーン イスト エス↗

2つ目です
Die zweite Station.
ディー ツヴァイテ シュタツィオーン

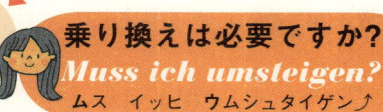

乗り換えは必要ですか?
Muss ich umsteigen?
ムス イッヒ ウムシュタイゲン↗

市庁舎に行きたいのですが
Ich möchte zum Rathaus gehen.
イッヒ メヒテ ツム ラートハウス ゲーエン

はい
Ja.
ヤー

いいえ
Nein.
ナイン

そこに着いたら教えてください
Können Sie mir bitte Bescheid sagen, wenn wir dorthin kommen?
ケネン ズィー ミア ビッテ ベシャイト ザーゲン ヴェン ヴィア ドルトヒン コメン↗

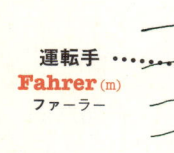

● 地下鉄

運転手
Fahrer (m)
ファーラー

標識
Schild (m)
シルト

地下鉄の路線図をください
Ich hätte gern einen U-Bahnlinienplan.
イッヒ ヘッテ ゲルン アイネン ウーバーンリーニエンプラーン

★駅の時刻表は黄色が出発時刻表Abfahrt、白色が到着時刻表Ankunft

切符売り場はどこですか?
Wo ist der Fahrkartenschalter?
ヴォー イスト デア ファーカルテンシャルター

1日券をください
Ich hätte gerne eine Tageskarte.
イッヒ ヘッテ ゲルネ アイネ ターゲスカルテ

タクシー乗り場はどこですか?
Wo ist der Taxistand?
ヴォー イスト デア タクスィシュタント

タクシーを呼んでください
Können Sie mir bitte ein Taxi rufen?
ケネン ズィー ミア ビッテ アイン タクスィ ルーフェン

(メモを見せて) この住所へ行ってください
Bringen Sie mich bitte zu dieser Adresse.
ブリンゲン ズィー ミッヒ ビッテ ツー ディーザー アドレッセ

どちらまで?
Wohin?
ヴォーヒン

急いでいます
Ich habe es eilig.
イッヒ ハーベ エス アイリヒ

ここで降ります
Ich steige hier aus.
イッヒ シュタイゲ ヒーア アウス

ここでちょっと待っていてください
Bitte warten Sie hier ein bißchen.
ビッテ ヴァルテン ズィー ヒーア アイン ビスヒェン

ありがとう
Danke schön.
ダンケ シェーン

使える!ワードバンク 市内移動編

車掌	**Schaffner** (m)	シャフナー
改札口	**Sperre** (f)	シュペレ
料金	**Fahrpreis** (m)	ファールプライス
空車	**ein freies Taxi** (n)	アイン フライエス タクスィ
回送	**Dienstfahrt** (f)	ディーンストファールト
メーター	**Taxameter** (m)	タクサメーター
領収書	**Quittung** (f)	クヴィットゥング
トラム	**Straßenbahn** (f)	シュトラーセンバーン
トラムの停留所	**Straßenbahnhaltestelle** (f)	シュトラッセンバーンハルテシュテレ
ケーブルカー	**Seilbahn** (f)	ザイルバーン
フェリー	**Fähre** (f)	フェーレ
バス停	**Bushaltestelle** (f)	ブスハルテシュテレ
バス	**Bus** (m)	ブス

★車両は1等と2等に分かれ、それぞれ禁煙車Nichtraucherと喫煙車Raucherに分かれている

道を尋ねよう

Stadtgang
シュタットガング

**すみません
駅へ行く道を教えてください**
Entschuldigen Sie, bitte. Können Sie mir sagen, wie ich auf den Bahnhof komme?
エントシュルディゲン ズィー ビッテ ケネン ズィー ミア ザーゲン ヴィー イッヒ アウフ デン バーンホーフ コメ♪

この道をまっすぐに行って、2つ目の信号を左に曲がってください
Geradeaus und dann bei der zweiten Ampel nach links.
ゲラーデアウス ウント ダン バイ デア ツヴァイテン アムペル ナーハ リンクス

この道を戻ってください
Gehen Sie den Weg zurück.
ゲーエン ズィー デン ヴェーク ツリュック

ありがとう
Danke schön.
ダンケ シェーン

● 市街地

病院
Krankenhaus (n)
クランケンハウス

ホテル
Hotel (n)
ホテル

信号
Ampel (f)
アムペル

鉄道の駅
Bahnhof (m)
バーンホーフ

観光案内所
Touristeninformation (f)
トゥリステンインフォルマツィオーン

警察署
Polizeirevier (n)
ポリツァイレヴィーア

バス停
Bushaltestelle (f)
ブスハルテシュテレ

郵便局
Postamt (n)
ポストアムト

地下鉄の駅
U-Bahnhof (m)
ウーバーンホーフ

銀行
Bank (f)
バンク

★観光案内所はiのマークが目印。地図やパンフレットが用意されている

私についてきてください	男性用
Bitte folgen Sie mir.	**HERREN**
ビッテ フォルゲン ズィー ミア	ヘレン

トイレはどこですか？	女性用
Wo ist die Toilette?	**DAMEN**
ヴォー イスト ディー トアレッテ♪	ダーメン

現在位置を示してください	有料トイレ
Bitte zeigen Sie mir, wo wir sind.	**Münzentoilette** (f)
ビッテ ツァイゲン ズィー ミア ヴォー ヴィア ズィント	ミュンツェトイレッテ

●方位・方向

上 **oben** オーベン
北 **Norden** (m) ノルデン
東 **Osten** (m) オステン
西 **Westen** (m) ヴェステン
南 **Süden** (m) ズューデン
右 **rechts** レヒツ
後ろ **hinten** ヒンテン
左 **links** リンクス
前方の **vor** フォアー
下 **unten** ウンテン

歩いて行けます
Man kann zu Fuß dorthin gehen.
マン カン ツー フース ドルトヒン ゲーエン

この道を横断してください
Bitte überqueren Sie die Straße.
ビッテ ユーバークヴェーレン ズィー ディー シュトラーセ

使える！ワードバンク　街歩き編

公園	**Park** (m)	パルク
看板	**Reklameschild** (n)	レクラーメシルト
交通標識	**Verkehrsschild** (n)	フェアケアースシルト
横断歩道	**Zebrastreifen** (m)	ツェーブラーシュトライフェン
歩道橋	**Fußgängerbrücke** (f)	フースゲンガーブリュッケ
最初の	**erste**	エーアステ
次の	**nächste**	ネーヒステ
遠い	**fern/weit**	フェルンまたはヴァイト
近い	**nahe**	ナーエ
つき当たり	**Ende** (n)	エンデ
現在地	**gegenwärtiger Aufenthaltsort**	ゲーゲンヴェルティガー アウフェントハルツオルト

★観光案内所ではホテルの案内や予約をしてくれるところもある

観光しよう

Tourismus
ツーリスムス

ここで写真を撮ってもいいですか？
Darf ich hier fotografieren?
ダルフ イッヒ ヒアー フォトグラフィーレン↗

→ **はい** *Ja.* ヤー

→ **いいえ** *Nein.* ナイン

私の写真を撮っていただけますか？
Können Sie mich fotografieren?
ケネン ズィー ミッヒ フォトグラフィーレン↗

市庁舎はどこですか？
Wo ist das Rathaus?
ヴォー イスト ダス ラートハウス↗

→ **向こうです** *Dort drüben.* ドルト デュリューベン

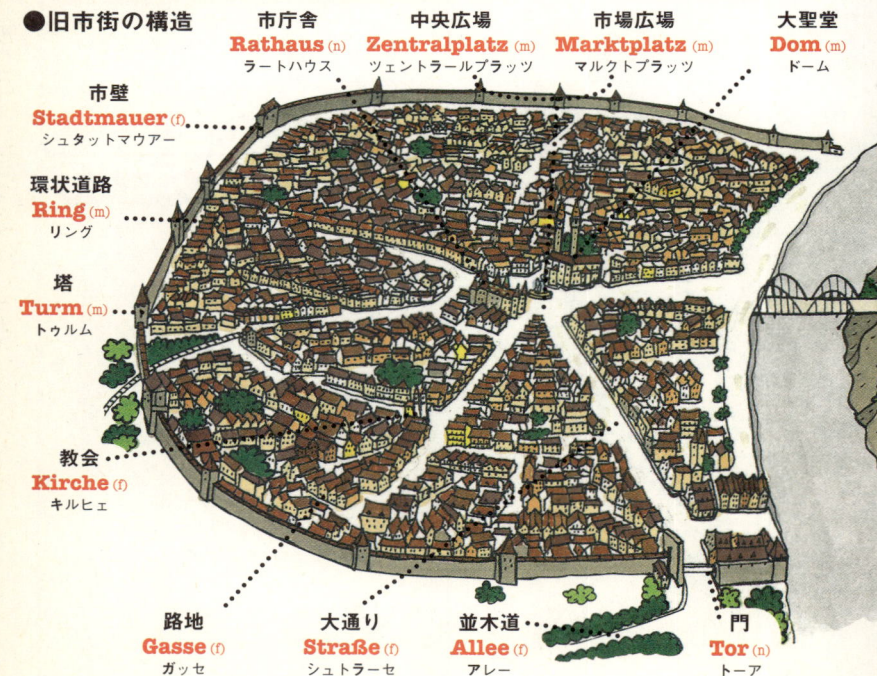

●旧市街の構造

市庁舎 **Rathaus** (n) ラートハウス
中央広場 **Zentralplatz** (m) ツェントラールプラッツ
市場広場 **Marktplatz** (m) マルクトプラッツ
大聖堂 **Dom** (m) ドーム
市壁 **Stadtmauer** (f) シュタットマウアー
環状道路 **Ring** (m) リング
塔 **Turm** (m) トゥルム
教会 **Kirche** (f) キルヒェ
路地 **Gasse** (f) ガッセ
大通り **Straße** (f) シュトラーセ
並木道 **Allee** (f) アレー
門 **Tor** (n) トーア

30　★ドイツは石畳が多いので、歩きやすい靴で。教会を訪ねるならノースリーブや短パンはやめよう

入場料はいくらですか？	無料パンフレットはありますか？
Was kostet der Eintritt?	**Haben Sie Gratisprospekte?**
ヴァス コステット デア アイントリット♪	ハーベン ズィー グラーティスプロスペクテ♪

大人2枚（学生1枚）ください
Zwei Personen(Eine Studentenkarte), bitte.
ツヴァイ ペルゾーネン（アイネ シュトゥデンテンカルテ）ビッテ

今日は何時まで開いていますか？
Bis wieviel Uhr ist heute geöffnet?
ビス ヴィーフィール ウーア イスト ホイテ ゲエフネット♪

この街の観光案内パンフレットが欲しいのですが
Haben Sie Prospekte von dieser Stadt?
ハーベン ズィー プロスペクテ フォン ディーザー シュタット♪

山城 **Burg** (f) ブルク
宮殿 **Schloss** (n) シュロス
居城 **Residenz** (f) レズィデンツ

トイレ **Toilette** (f) トアレッテ	入口 **Eingang** (m) アインガング
出口 **Ausgang** (m) アウスガング	撮影禁止 **Fotografieren verboten** フォトグラフィーレン フェアボーテン
手荷物預かり所 **Garderobe** (f) ガルデローベ	

ひとくちコラム
ドイツ中世都市の構造
街は外敵に備え周囲を城壁で囲み、中心に市場を挟んで市庁舎と教会が立っていた。環状道路Ringという地名があれば、それも壁の名残りだ。

使える！ワードバンク　観光編

休憩場所	**Rastplatz**	ラストプラッツ
静かに	**Bitte Ruhe**	ビッテ ルーエ
入場料	**Eintritt** (m)	アイントリット
割引	**Ermäßigung** (f)	エアメースィグング
無料	**frei**	フライ
開館時間	**Öffnungszeit** (f)	エフヌングスツァイト
みやげ物店	**Souvenirladen** (m)	ズヴェニーアラーデン

★歴史ある街で見かける絵看板は、中世の人が文字を読めなかった名残り。図形は店を表している

ホテルに泊まろう

Übernachtung
ユーバーナハツュング

チェックインをお願いします
Ich möchte einchecken
イッヒ メヒテ アインチェッケン

はい、承ります
Ja, wir haben Ihre Reservation erhalten.
ヤー ヴィアー ハーベン イーレ
レザヴァツィオーン エアハルテン

予約リストにございませんが
Wir haben keine Reservation von Ihnen erhalten.
ヴィアー ハーベン カイネ レザヴァツィオーン フォン イーネン エアハルテン

日本語の話せる人はいますか？
Spricht hier jemand Japanisch?
シュプリヒト ヒーア イェーマント ヤパーニッシュ♪

●ロビー

エレベーター
Fahrstuhl (m)
ファールシュトゥール

レセプション
Rezeption (f)
レツェプツィオーン

会計
Kassierer(-in) (f)
カスィーラー（リン）

階段
Treppe (f)
トレッペ

ドアマン
Portier (m)
ポルティエ

ベルボーイ
Hoteljunge (m)
ホテルユンゲ

コンシェルジュ
Concierge (m)
コンスィエルジュ

★宿泊料は、ほとんどの場合税・サービス料込。感謝の気持ちとしてチップを渡すのはOK

ルームナンバーをお願いします
Ihre Zimmernummer bitte.
イーレ　ツィンマーヌマー　ビッテ

316号室の山田ですが…
Zimmer 316, Yamada.
ツィマー　ドライフンダートゼヒツェーン　ヤマダ

チェックアウトをお願いします
Ich möchte jetzt abreisen.
イッヒ　メヒテ　イェッツト　アプライゼン

タクシーを呼んでいただけますか
Können Sie mir bitte ein Taxi rufen?
ケネン　ズィー　ミア　ビッテ　アイン　タクスィ　ルーフェン↗

クレジットカードでお願いします
Ich möchte mit Kreditkarte bezahlen.
イッヒ　メヒテ　ミット　クレディートカルテ　ベツァーレン

●客室

- ルームライト **Zimmerlampe** (f) ツィンマーランペ
- 冷蔵庫 **Kühlschrank** (m) キュールシュランク
- 電話 **Telefon** (n) テレフォーン
- ベッド **Bett** (n) ベット
- ドア **Tür** (f) テューア
- バスタブ **Badewanne** (f) バーデヴァネ
- セーフティーボックス **Tresor** (m) トレゾーア
- シャワー **Dusche** (f) ドゥッシェ

使える！ワードバンク　ホテル編

1階	**Erdgeschoß** (n)	エーアトゲショス
2階	**Erster Stock** (m)	エーアスター　シュトック
中2階	**Zwischengeschoß** (n)	ツヴィッシェンゲショス
地下	**Untergeschoß** (n)	ウンターゲショス
領収書	**Quittung** (f)	クヴィットゥング
時計	**Uhr** (m)	ウアー
テレビ	**Fernseher** (m)	フェルンゼーアー
便器	**Toilette** (f)	トアレッテ
蛇口	**Wasserhahn** (m)	ヴァッサーハーン
コンセント	**Steckdose** (f)	シュテックドーゼ
ソファ	**Sofa** (f)	ソーファ
テーブル	**Tisch** (m)	ティッシュ

★家族経営のホテルでは、家族にチップを渡さないのがマナー

食べよう

日本人が想像も、できないようなことが起こるのが外国。ドイツもそのご多分にもれず。たとえば食事の場合…。

アイスコーヒー

カフェでアイスコーヒーを頼むと

こーいうものではなく

こーいうものが出てきます。

熱いコーヒーの中で

アイスクリームが溶けてる

ドイツはEIS（アイスクリーム）KAFFEE（コーヒー）

冷たいコーヒーという概念は、無かったらしいです。

ミルク入れます？

ドイツにはグリーンティーもありますが、砂糖も入ってます。

★最近は米国資本のコーヒーチェーン店がドイツにも進出してきたので、そういうところでは日本人の考えるアイスコーヒーが出てくるようです

持ち場

ドイツのレストラン、カフェはウェイトレス、ウェイターの持ちテーブルが決まっています。

そして、自分の持ち場以外には手を出さないことになっています。

あ、あの客

ヒルダのテーブルについた

ヒルダ休みなのにねえ

どーして注文とりに来てくれないのかな

こーいうことも起こるので、入店したら勝手に席に着かずお店の人に案内してもらいましょう。

はじめよう / 歩こう / 食べよう / 買おう / 極めよう / 伝えよう / 日本の紹介

レストランへ行こう

Restaurant
レストラン

2人ですが、あいていますか？
Haben Sie einen Tisch für zwei Personen frei?
ハーベン ズィー アイネン ティッシュ フュア ツヴァイ ペルゾーネン フライ↗

→ **はい** *Ja.* ヤー

→ **いいえ** *Nein.* ナイン

予約した原です
Ich habe einen Tisch bestellt. Mein name ist Hara.
イッヒ ハーベ アイネン ティッシュ ベシュティールト マイン ナーメ イスト ハラ

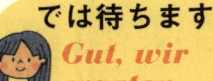

では待ちます
Gut, wir warten.
グート ヴィア ヴァルテン

またにします
Dann kommen wir wieder.
ダン コメン ヴィア ヴィーダー

日本語メニューはありますか？
Haben Sie die Speisekarte auf Japanisch?
ハーベン ズィー ディー シュパイゼカルテ アウフ ヤパーニッシュ↗

おすすめ料理は何ですか？
Was empfehlen Sie?
ヴァス エムプフェーレン ズィー↗

セットメニューはありますか？
Haben Sie ein Tagesmenü?
ハーベン ズィー アイン ターゲスメニュー↗

スープとサラダだけでいいですか？
Geht es, daß ich nur Suppe und Salat esse?
ゲート エス ダス イッヒ ヌアー ズッペ ウント ザラート エッセ↗

これをお願いします
Ich nehme das, bitte.
イッヒ ネーメ ダス ビッテ

英語
Englisch (n)
エングリッシュ

ワインリスト
Weinliste (f)
ヴァインリステ

デザートメニュー
Nachspeiseliste (f)
ナーハシュパイゼリステ

ひとくちコラム
ドイツのメニューは定食？
ドイツ語でメニュー Menü は定食の意味。いわゆるメニューはシュパイゼカルテ Speisekarte という。一般に前菜、スープ、メイン、飲み物で構成されている。料理名はやたら長いが、法則を知っていれば意外と分かりやすい。書かれていることは、食材、調理法、味付け、付合せが基本で、語尾に ische が付いている場合は、その地方の特徴を表している。例えば、Schwäbischer とあれば、シュヴァーベン風の意味。別にワインリストとデザートメニューが付く。

★入店する際は入口で人数と予約の有無を伝え、スタッフの案内を待つ。勝手に席につかないこと

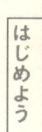

● レストラン内で

シェフ
Koch (m)
コッホ

コップ
Glas (n)
グラス

ナイフ
Messer (n)
メッサー

スプーン
Löffel (m)
レッフェル

フォーク
Gabel (f)
ガーベル

つまようじ
Zahnstocher (m)
ツァーンシュトッハー

ナプキン
Serviette (f)
ゼルヴィエッテ

カップ
Tasse (f)
タッセ

ウェイター
Kellner (m)
ケルナー

支配人
Direktor (m)
ディレクトア

ウェイトレス
Kellnerin (f)
ケルネリン

料理はいかがですか？
Hat es geschmeckt?
ハット エス ゲシュメクト♪

おいしいです
Es schmeckt gut.
エス シュメクト グート

使える！ワードバンク　店内編

窓側の席	**einen Tisch am Fenster** (n)	アイネン ティッシュ アム フェンスター
すみの席	**einen Tisch in der Ecke** (m)	アイネン ティッシュ イン デア エッケ
禁煙席	**Nichtraucherplatz** (m)	ニヒトラウハープラッツ
喫煙席	**Raucherplatz** (m)	ラウハープラッツ
トイレ	**Toilette** (f)	トアレッテ

すみませんが
Entschuldigung.
エントシュルディグング

ラストオーダー
Letzte Bestellung (f)
レッツテ ベシュテルング

領収書
Quittung (f)
クヴィットゥング

お勘定をお願いします
Die Rechnung, bitte.
ディ レヒヌング ビッテ

クレジットカード
Kreditkarte (f)
クレディートカルテ

ありがとう。いい食事でした
Es hat sehr gut geschmeckt. Vielen Dank.
エス ハット ゼーア グート ゲシュメクト フィーレン ダンク

★支払いは基本的に席で行う。サービス料が入っていない場合は、支払い時にチップも渡す

はじめよう｜歩こう｜食べよう｜買おう｜極めよう｜伝えよう｜日本の紹介

ドイツ料理
（南部・西部・中部編）

**Deutsche Küche
Südlicher Teil,
Westlicher Teil,
Mittlerer Teil**

ドイチェ キュッヘ
ズュートリッヒャー タイル
ヴェストリッヒャー タイル
ミットレーラー タイル

おすすめの料理は、どれですか？
Was empfehlen Sie?
ヴァス エンプフェーレン ズィー↗

シュヴァイネハクセをお勧めします
Ich empfehle eine Schweinehaxe.
イッヒ エンプフェーレ アイネ シュヴァイネハクセ

名物料理
Spezialitäten シュペツィアリテーテン

イタリアやフランスの影響を受けた南部、特産のワインを使った郷土料理が多い西部、ジビエをはじめ肉料理が楽しめるのが中部。

豚すね肉のグリル
Gegrillte Schweinshaxe (f)

ゲグリルテ シュヴァインスハクセ

豚のすね肉のグリル。パリパリに焼けた皮の中には、肉汁たっぷりの柔らかな肉が

豚ヒレ肉のグリルとシュペッツレ
Spätzle Filetpfännchen

シュペッツレ フィレプフェンヒェン

ポピュラーな豚のヒレ肉をグリルしたもの。パスタの一種、シュペッツレを添えて

ザワーブラーテン
Sauerbraten (m)

ザウアーブラーテン

赤ワインや酢、香料などを混ぜた漬け汁に牛肉を漬け込んで、煮込んだ伝統料理

ミートローフ
Leberkäse (m)

レバーケーゼ

牛、豚のひき肉、ベーコンを混ぜ、塩、コショウ、ナツメグなどで風味を付け、蒸し焼きにしたもの

アヒルのロースト
Entenbraten (m)

エンテンブラーテン

赤身のアヒルはこんがりパリっと焼いて、リンゴやプラムの甘めのソースでいただく

ガチョウのロースト
Gänsebraten (m)

ゲンゼブラーテン

ガチョウやキジなど、野鳥や家禽類はヘッセンの名物料理。果実の甘いジャムなどが付く

★南部の料理にはシュヴァーベン地方のパスタ、シュペッツレが付合せに付くことが多い

使える！ワードバンク 〜スープ・サラダ編〜

本日のスープ	**Tagessuppe** (f) ターゲスズッペ
カボチャのスープ	**Kürbiscreamsuppe** (f) キュルビスクリームズッペ
ブレッツェル入りスープ	**Brez'n Suppe** (f) ブレッツン ズッペ
野菜サラダ	**Gemüsesalat** (m) ゲミューゼザラート
温かいサラダ	**Walmersalat** (m) ヴァルマーザラート
シェフサラダ	**Chefsalat** (m) シェフザラート

仔牛のカツレツ
Kalbsschnitzel (ユ)
カルプスシュニッツェル

仔牛肉を叩いて薄くしてカツレツにしたもの。バターで揚げてあるが、意外とさっぱり

淡水魚のソテー
Karaushenfilets Gebraten
カラウシェンフィレ ゲブラーテン

ローテンブルク周辺に生息する淡白な白身魚のソテー。魚料理が少ない内陸ではうれしい。秋が旬

パスタのチーズ焼き
Käsespatzen (pl)
ケーゼシュパッツェン

パスタにチーズソースをかけて焼いたグラタン。アルプス地方の名物

ビーフストロガノフ
Geschnetzeltes (n)
ゲシュネッツェルテス

細切りの仔牛肉を炒め、サワークリームソースで煮込んだもの

フランクフルトソーセージ
Frankfurter Wurst (f)
フランクフルターヴルスト

フランクフルトの代表的なソーセージ。マスタードを付けて食べる

白ソーセージ
Weißwurst (f)
ヴァイスヴルスト

ミュンヘン名物、皮をむいて食べる、仔牛肉の白ソーセージ。朝に食べる

ニュルンベルクソーセージ
Nürnberger Bratwurst (f)
ニュルンベルガー ブラートヴルスト

香料のきいた小ぶりのソーセージを焼いたもの。通常は、パンが付く

ジャガイモのスープ
Kartoffelsuppe (f)
カルトッフェルズッペ

細かく刻んだベーコンが入ったジャガイモのスープ。ミュンヘン名物

マウルタッシェ入りのスープ
Maultaschen suppe
マウルタッシェン ズッペ

挽き肉やほうれん草などを包んだラビオリ風パスタを浮かべたスープ

レバー団子入りスープ
Leberknödelsuppe (f)
レバークネーデルズッペ

豚レバー入りの肉団子を浮かべたコンソメスープ。典型的なバイエルン料理

★ミュンヘン名物、白ソーセージは新鮮さが命。オーダーできるのは正午までのところが多い

ドイツ料理
(東部・北部編)

**Deutsche Küche
Östlicher Teil,
Nördlicher Teil**
ドイチェ キュッヒャー
オストリッヒャー タイル
ネルトリッヒャー タイル

メインディッシュは、何にしますか？
Was hätten Sie gerne als Hauptgericht?
ヴァス　ヘッテン　ズィー　ゲルネ　アルス　ハウプトゲリヒト♪

アイスバインをお願いします
Eisbein, bitte.
アイスヴァイン　ビッテ

名物料理
Spezialitäten シュペツィアリテーテン

東部を代表するベルリンの料理は、東欧とフランス料理がミックスされたもの。海に面した北部では新鮮なシーフードがおすすめ。

アイスバイン
Eisbein (n)
アイスバイン

塩漬けした骨付き豚すね肉をゆでたもの。ゼラチン質が美味

ローストポーク
Schweinebraten (m)
シュヴァイネブラーテン

脂肪が少なくさっぱりした味わいの肉に濃厚なソースをかけて

牛すね肉の煮込み
Tafelspitz (m)
ターフェルシュピッツ

牛のすね肉を煮込んだ料理。リンゴと西洋わさびを混ぜたソースで食べる

鶏肉の煮込み
Kückenragout (n)
キューケンラグー

鶏肉を煮込んだもの。寒さの厳しい中北部の冬の定番料理

ラプスカウス
Labskaus (n)
ラープスカウス

牛胸肉のミンチにニシンのすり身とつぶしたポテトをあわせたもの

メットヴルスト
Mettwurst (f)
メットヴルスト

デュッセルドルフ名物。豚の半生肉のソーセージ。食べるまでは生で貯蔵

チューリンゲンソーセージ
Thüringerwurst (f)
テューリンガーヴルスト

チューリンゲン名物。街角の屋台では、炭火焼きして売られている

酢漬けニシン
Matjeshering
マチャスヘーリング

もっともポピュラーな魚料理のひとつ。サワークリームで食べる

★北部の港町には魚介専門のレストランが多く、スモークした魚をサンドウィッチにした屋台もある

白アスパラ料理
Spargelgerichte (pl)

シュパーゲルゲリヒテ

春の味覚、ホワイトアスパラ。オランデーヌソースをかけて

ひとくちコラム
ドイツにもある旬の味覚
春はホワイトアスパラ。4月中旬、ホワイトアスパラが出回り始めるとドイツの人々は春が来たことを実感する。グリーンアスパラより、かなり太め。20分ほど茹でて食べる。サラダやソテーなど食べ方はいろいろ。夏はベリー類。サクランボやラズベリー、コケモモなどはジャムにコンポートにと大活躍。秋はキノコ。炒めたり、ソースにして森の香りを楽しむ。冬はジビエ。ワイルドな料理は、甘酸っぱい果実のソースでいただく。

使える！ワードバンク 〈前菜編〉

エビのカクテル	**Cocktail** (m) **(Garnelen)** (pl)	コックテール（ガルネーレン）
スモークサーモン	**Räucherlachs** (m)	ロイヒャーラクス
生ガキ	**Austern** (pl)	アウスターン
アンチョビ	**Anschovis** (f)	アンショーヴィス
キャビア	**Kaviar** (m)	カーヴィア
燻製ニシン	**Bückling** (m)	ビュックリング

シチュー
Gulasch (n)

グーラッシュ

ハンガリーの伝統料理だが、ドイツでもポピュラー。パンが付いてくる

キノコのシチュー
Pilzgulasch (n)

ピルツグーラッシュ

キノコたっぷりのシチューは秋の味。肉もバラエティに富んでいる

鹿肉のシチュー
Hirschgulasch (n)

ヒルシュグーラッシュ

ジビエのグラーシュも柔らかくておすすめ。甘いジャムで煮込む

ウナギのスープ
Aalsuppe (f)

アールズッペ

ハンブルク名物。下処理をしないので、ウナギ独特の臭みがある

使える！ワードバンク 〈ドイツパン編〉

カイザーゼンメル	**Kaisersemmel** (f)	カイザーゼンメル	プチプチしたゼンメル（ケシの実）たっぷり
ロッゲンブロート	**Roggenbrot** (n)	ロッゲンブロート	ライ麦が主な生粋のドイツパン
プンパニッケル	**Pumpernickel** (m)	プンパニッケル	黒くて重くて酸味の強い伝統パン
ブレッツェル	**Brezel** (f)	ブレーツェル	塩味がきいた固いパン
シュネッケ	**Schnecke** (f)	シュネッケ	巻貝の形をした菓子パン
シュロットブロート	**Schrotbrot** (n)	シュロートブロート	粗挽きのライ麦100%

カレイのグリル
Gegrillte Scholle (f)

ゲグリルテ ショレ

味付けの基本は塩バター。ハーブで香りを付け、レモンを搾る

ニシンのフライ
Fritierter Hering (m)

フリティーアター ヘーリング

北部料理の定番。素揚げはbraten、衣を付けたものはgebacken

★ドイツはパンの種類が500以上もあるパンの国。お気に入りのパンを見つけよう

ドイツ料理（デザート編）

Deutsche Küche
Nachtisch Essen
ドイチェ　キュッヘ
ナーハティッシュ　エッセン

デザートには、何がありますか？
Was haben Sie als Nachtisch?
ヴァス　ハーベン　ズィー　アルス　ナーハティッシュ⤴

コーヒーをお願いします
Ich möchte gern einen Kaffee.
イッヒ　メヒテ　ゲルン　アイネン　カフェー

ケーキ・デザート・その他
Torte, Kuchen, Sonders

男女を問わず、スイーツが大好きなドイツ人。しかもボリュームたっぷり。甘いものが好きならケーキ屋さんKonditoreiへ。

ザッハートルテ
Sachertorte (f)
ザッハートルテ

ココアを混ぜ込んだチョコレートでコーティング。季節を問わず楽しめる定番のスイーツ

アップルシュトゥルーデル
Apfelstrudel (m)
アッペルシュトルーデル

ドイツ人が大好きなリンゴを薄い生地に巻いたケーキ。地方によってさまざまなタイプがある

使える！ワードバンク　デザート編

アイスクリーム	**Eiscreme** (f) アイスクレーム
シャーベット	**Sorbet** (m) ゾルベット
チーズケーキ	**Käsekuchen** (m) ケーゼクーヘン
チョコレートケーキ	**Schokoladentorte** (f) ショコラーデントルテ
ケーキ	**Kuchen** (m) クーヘン
ゼリー	**Gelee** (m) ジェレー

プフラウメンクーヘン
Pflaumenkuchen (m)
プフラオメンクーヘン

ビスケット生地にシナモンシュガーを振りかけ、プルーンを並べて焼き、ゼリーで固めたもの

シュヴァルツヴェルダートルテ
Schwarzwälder Torte (f)
シュヴァルツヴェルダートルテ

黒い森をチョコレートで表現。チェリーとキルシュ酒、生クリームをたっぷり使う

★季節のフルーツにアイスクリームや生クリームを添えたデザートもポピュラー

ミネラルウオーターをください
Könnte ich Mineralwasser haben ?
ケンテ　イッヒ　ミネラールヴァッサー　ハーベン↗

炭酸入りですか、炭酸抜きですか？
Mit Kohlensäure oder ohne Kohlensäure ?
ミット　コーレンゾイレ　オーデア　オーネ　コーレンゾイレ↗

炭酸なしのものをお願いします
Ohne Kohlensäure bitte.
オーネ　コーレンゾイレ　ビッテ

キルシュ・カーディナル
Kirsch Kardinal (m)

キリシュカルディナール

ドライフルーツを混ぜたスポンジケーキ。キルシュ酒風味のアーモンドやナッツがたっぷり

シュトロイゼルクーヘン
Streuselkuchen (m)

シュトロイゼルクーヘン

生地をそぼろ状にして焼いたシュトロイゼルをのせて焼いたもの。クリスピーな歯ごたえが特徴

ヒンベァクーヘン
Himbeerkuchen (m)

ヒンベアークーヘン

ビスケット生地にカスタードクリーム、ゼリーでかためた木イチゴをのせたもの

ルシッシャー　ツープフクーヘン
Russischer Zupfkuchen

ルシッシャーツープフクーヘン

チーズクリームの上にチョコレートスライスがかかっている。チーズの酸味とチョコの甘さが絶妙

シュネーバル
Schneeball

シュネーバル

ローテンブルクの銘菓。クッキー生地に粉砂糖をたっぷりかけてある。さくさくした歯ごたえ

バウムクーヘン
Baumkuchen (m)

バオムクーヘン

木の年輪のような焼き色が入ったドイツ菓子。お祝いや、クリスマスなど特別な日に食べる

レープクーヘン
Lebkuchen (m)

レープクーヘン

ニュルンベルクの伝統菓子。クローブ、シナモン、ナツメグなど使ったスパイシーなクッキー

使える！ワードバンク　　ドリンク編

コーヒー	**Kaffee** (m) カフェー
カフェ・オ・レ	**Milchkaffee** (m) ミルヒカフェー
紅茶	**Schwarzer Tee** (m) シュヴァーツァー　テー
オレンジジュース	**Orangensaft** (m) オランジェンザフト
リンゴジュース	**Apfelsaft** (m) アプフェルザフト
ホットココア	**Heiße Schokolade** (f) ハイセ　ショコラーデ

★老舗菓子店「イェーテック」のバウムクーヘンは、かの宰相ビスマルクもお気に入りだった

お酒
(ワイン・ビール・その他のお酒)

Der Alkohol (Wein, Bier, sonstiges)
デア アルコホール (ヴァイン, ビアー, ゾンスティゲス)

シェリーをグラスでください
Könnte ich ein Glas Sherry haben?
ケンテ イッヒ アイン グラース シェリー ハーベン♪

もう1杯おかわりをください
Kann ich noch ein Glas bestellen?
カン イッヒ ノッホ アイン グラース ベシュテッレン♪

食前酒	発泡性ワイン	シェリー
Aperitif(m)	**Sekt**(m)	**Sherry**(m)
アペリティーフ	ゼクト	シェリー

ベルモット	キール	カンパリ
Bergamotte(f)	**Kir**(m)	**Campari**(m)
ベルガモッテ	キール	カンパーリ

ビール	生ビール	ラガー・タイプのビール
Bier(n)	**Fassbier**(n)	**Lagerbier**(n)
ビアー	ファスビアー	ラーガービアー

ボック・タイプのビール	エール・タープのビール	小麦麦芽ビール (ヴァイツェン)
Bockbier(n)	**Alebier**(n)	**Weizenbier**(n)
ボックビアー	エールビアー	ヴァイツェンビアー

ウイスキーをソーダ割りで1杯ください
Kann ich ein Glas Whiskey mit Soda haben?
カン イッヒ アイン グラース ヴィスキー ミット ゾーダ ハーベン♪

バーボン
Bourbon(m)
バーボン

スコッチ
Scotch(m)
スコッチ

ブランデー
Brandy(m)
ブランディー

ストレートで
pur
プアー

オンザロックで
mit Eis
ミット アイス

★高級レストランに行く際は、男性はジャケットとネクタイ着用、女性はドレッシーな服装で

この料理に合うワインは何ですか?
Welcher Wein paßt zu diesem Essen?
ヴェルヒャー ヴァイン パスト ツー ディーゼム エッセン↑

赤ワイン
Rotwein (m)
ロートヴァイン

白ワイン
Weißwein (m)
ヴァイスヴァイン

ロゼワイン
Rosewein (m)
ロゼーヴァイン

辛口
trocken
トロッケン

甘口
lieblich
リープリヒ

手ごろなワインを選んでください
Können Sie einen preislich angemessenen Wein aussuchen?
ケンネン ズィー アイネン プライスリヒ アンゲメッセネン ヴァイン アウスズーヘン↑

ワインをグラスでください
Ein Glas Wein bitte.
アイン グラース ヴァイン ビッテ

テーブルワイン
Tafelwein (m)
ターフェルヴァイン

地ワイン（ラントヴァイン）
Landwein (m)
ラントヴァイン

ボトルで
Eine Flasche
アイネ フラッシェ

ひとくちコラム
ドイツワイン
ドイツワインの特徴は、さわやかな酸味とフルーティな味わい。白ワインが全体の85%を占め、13の生産地とブドウの成熟度、甘さで細かく規定されている。

ひとくちコラム
ブドウ品種の特徴
リースリングは甘味と酸味のバランスがよく、熟成タイプのワイン向き。シルヴァーナーは、辛口のフランケン産シュタインヴァインの原料になる。

- ワインの品質等級
  - 肩書き付き高級ワイン (Q.m.P.)
  - 指定地域上級ワイン (Q.b.A.)
- 産地
- ブドウの収穫された村と畑
- ワインの等級

RHEINGAU
1987er
Rauenthaler
Baiten
Riesling
EISWEIN

- 原料ブドウの収穫年
- 原料ブドウの品種
- 生産者元詰め

★食事中は、皿の上でナイフやフォークの音を立てたり、大声、高笑いは慎むこと

調理法・味付け

Rezept, Würzen
レツェプト、ヴュルツェン

ステーキの焼き加減はいかがなさいますか？
Wie wollen Sie das Steak gebraten haben?
ヴィー ヴォッレン ズィー ダス ステイキ ゲブラーテン ハーベン♪

ミディアムでお願いします
Medium, bitte.
メーディウム ビッテ

レア
rare (blutig)
レア（ブルーティッヒ）

ウェルダン
welldone (gut durch)
ヴェルダン（グート デュルヒ）

とろとろ煮込んだ
geschmort
ゲシュモーアト

詰め物をした
gefüllt
ゲフュルト

直火焼きした
gegrillt
ゲグリルト

蒸した
gedämpft
ゲデンフト

生の
roh
ロー

● 調理法

焼いた・炒めた
angebraten/angebraten
アンゲブラーテン アンゲブラーテン

茹でた
gekocht
ゲコホト

ぐつぐつ煮た
eingekocht
アインゲコホト

揚げた
fritiert
フリティアート

オーブンで焼いた
In Ofen gebacken
イン オーフェン ゲバッケン

★ドイツ料理は一皿の盛りが多いので、いわゆるフルコースにこだわらなくてもOK

あまり塩辛くしないでください
Schmecken Sie es bitte nicht zu salzig ab.
シュメッケン ズィー エス ニヒト ツー ザルツィヒ アップ

甘く	酸っぱく	脂っこく	コショウ
süß	**sauer**	**fettig**	**Pfeffer** (m)
ズース	ザウアー	フェッティヒ	フェッファー

塩を持って来てください
Können Sie das Salz mitbringen?
ケンネン ズィー ダス ザルツ ミットブリンゲン♪

酢
Essig (m)
エッスィヒ

マスタード	タバスコ	粉チーズ
Senf (m)	**Tabasco** (m)	**Pulverkäse** (m)
ゼンフ	タバスコ	プルバーケーゼ

マヨネーズ	ケチャップ	オリーブオイル
Mayonäse (f)	**Ketchup** (m)	**Olivenöl** (n)
マヨネーゼ	ケチャップ	オリーヴェンエール

パプリカを持ってきてください
Können Sie den Paprika mitbringen?
ケンネン ズィー デン パプリカ ミットブリンゲン♪

ドレッシング
Dressing (n)
ドレッシング

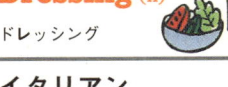

イタリアン
italienisch
イタリエーニッシュ

サウザンアイランド
Thousand-Island
サウザンアイランド

使える！ワードバンク 〈調理法編〉

燻製にした	**geräuchert**	ゲロイヘルト
ムニエルにした	**nach Müllerinart**	ナーハ ミュッラリンアート
ワインで煮込んだ	**in Wein gekocht**	イン ヴァイン ゲコフト
冷やした	**gekühlt**	ゲキュールト
混ぜ合わせた	**vermischt**	フェアミシュト
溶かした	**geschmolzen**	ゲシュモルツェン
詰め物にした	**abgefüllt**	アップゲフュルト
クリーム状にした	**cremeförmig**	クレームフォルミヒ
～風の	**nach ～ Art**	ナーハ ～アルト
～添えの	**Beigelegt mit ～**	バイゲレークト ミット ～
～のせの	**Belegt mit ～**	ベレークト ミット ～
～付きの	**Mit ～**	ミット ～

★付合せもボリューム満点。飲み物とメインディッシュ、それにスープやデザートを加えれば充分

食材を選ぼう

Lebensmittel
レーベンスミッテル

豚肉の料理を食べたいのですが
Ich möchte gerne ein Schweinefleischgericht essen.
イッヒ メヒテ ゲルネ アイン シュヴァイネ フライシュゲリヒト エッセン

ザウアークラウトは抜いてください
Bitte ohne Sauerkraut.
ビッテ オーネ ザウアークラウト

● 市場での食材いろいろ

ソーセージ
Wurst (f)
ヴルスト

羊肉
Hammelfleisch
ハンメルフライシュ

精肉店
Fleischer (m)
フライシャー

青果店
Gemüsehändler (m)
ゲミューゼヘンドラー

アスパラガス
Spargel (m)
シュパーゲル

ニンジン
Karotte (f)
カロッテ

ジャガイモ
Kartofell (f)
カルトッフェル

キャベツ
Kohlkopf (m)
コールコップ

仔牛肉
Kalbsfleisch (n)
カルプスフライシュ

タマネギ
Zwiebel (f)
ツヴィーベル

キノコ
Pilz (m)
ピルツ

★マルクト広場では週末、市が開かれることが多い。巨大な野菜や見たこともない果物にびっくり！

ひとくちコラム
付合せいろいろ
ドイツのメインディッシュにはたいてい付合せが付いてくる。しかもボリュームたっぷり。すっぱいキャベツ、ザウワークラウト Sauerkraut (n) やジャガイモや小麦の団子、クネーデル Knödel (m)、マッシュポテト、カルトッフェルピューレ Kartoffelpüree (n) などがポピュラー。店にもよるが、初めから料理の付合せが決められていても、ほかの付合せに変えてもらうこともできる。普通はパンも付いてくる。

牛肉	仔羊肉
Rindfleisch (n)	**Lammfleisch** (n)
リントフライシュ	ラムフライシュ

鹿肉	七面鳥
Hirschfleisch (n)	**Truthahn** (m)
ヒルシュフライシュ	トゥルートハーン

ベーコン	マグロ	メカジキ
Speck (m)	**Thunfisch** (m)	**Schwertfisch** (m)
シュペック	トゥーンフィッシュ	シュヴェルトフィッシュ

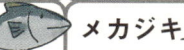

カニ	イカ
Krebs (m)	**Tintenfisch** (m)
クレプス	ティンテンフィッシュ

鶏肉
Hühnerfleisch (n)
ヒュナーフライシュ

豚肉
Schweinefleisch (n)
シュヴァイネフライシュ

ハム
Schinken (m)
シンケン

カレイ
Scholle (f)
ショッレ

ニシン
Hering (m)
ヘーリング

カキ
Auster (f)
アウスター

サケ
Lachs (m)
ラックス

ロブスター
Hummer (m)
フンマー

鮮魚店
Fischhändler (m)
フィッシュヘンドラー

使える！ワードバンク ―食材編―

ハト	**Taube** (f)	タウベ
ウサギ	**Kaninchen** (n)	カニーンヒエン
卵	**Ei** (n)	アイ
魚介	**Meeresfrüchte** (f)	メーレスフリュヒテ
舌平目	**Seezunge** (f)	ズィーツンゲ
スズキ	**Barsch** (m)	バルシュ
マス	**Forelle** (f)	フォレッレ
タラ	**Kabeljau** (m)	カーベルヤウ
貝	**Muschel** (f)	ムッシェル
ホタテ	**Kammmuschel** (f)	カムムッシェル
野菜	**Gemüse** (n)	ゲミューゼ
カボチャ	**Kürbis** (m)	キュルビス
レタス	**Kopfsalat** (m)	コップザラート
ナス	**Aubergine** (f)	オベルジーネ
インゲン豆	**Stangenbohnen** (pl)	シュタンゲンボーネン
エンドウ豆	**Erbse** (f)	エルプセ
長ネギ	**Lauch** (m)	ラウフ
ホウレンソウ	**Spinat** (m)	シュピナート
トウモロコシ	**Mais** (m)	マイス
セロリ	**Sellerie** (m, f)	セレリ
カブ	**Rübe** (f)	リューベ

★市場では、焼きソーセージやジュースなど、ファストフードの屋台も出ている。買い食いも楽しい

ワインケラー

Weinkeller
ヴァインケラー

試飲したいのですが
Ich möchte gerne probieren.
イッヒ メヒテ ゲルネ プロビーレン

もっと渋みのあるものをください
Haben Sie noch etwas herberes?
ハーベン ズィー ノッホ **エトヴァス ヘルベレス**↗

渋みのない
nicht so herb
ニヒト ゾー ヘルプ

ライトボディの
leichten
ライヒテン

ミディアムボディの
mittelschweren
ミッテルシュヴューレン

フルボディの
vollmundigen
フォルムンディゲン

酸味の強い
stark sauren
シュタルク ザウエレン

酸味の柔らかな
nicht so sauren
ニヒト ゾー ザウレン

フルーティーな
fruchtigen
フルヒティゲン

何か食べるものはありますか?
Haben Sie was zum essen?
ハーベン ズィー ヴァス ツム エッセン↗

使える!ワードバンク (おつまみ編)

生ハムとフルーツの盛合せ
Roher Schinken mit Früchten ローアー シンケン ミット フリュヒテン
カマンベールとブルーベリージャム
Camembert mit Blaubeerenmarmelade
カメンベール ミット ブラウベアーマーメラーデ
カナッペ Kanapee(n) カナッペ
ポテトのチーズ焼き
Kartoffeln mit Käse überbacken
カルトッフェル ミット ケーゼ ユーバーバッケン
キュウリのサラダ Gurkensalat(m) グルケンザラート
アスパラガスのサラダ
Spargelsalat シュパーゲルザラート

ひとくちコラム
ドイツ各地のワイン
ワイン産地は南のボーデン湖から、ライン河の支流一帯まで広がる。産地によってワインのビンに特徴がある。ライン産は褐色でポピュラーな形、モーゼル産は緑色ですらりとした形、フランケン産は緑色で扁平な丸型といった具合。また、原料のブドウの品質によって、テーブルワインTafelwein、中級ワインQualitatwein、高級ワインPrädikatに分けられる。味のタイプは、辛口Trocken、半辛口Halbtrockenなど。

ひとくちコラム
初秋はワイン祭りの季節
毎年7〜10月になると、各地でワイン祭りが行われる。世界最大のワイン祭りとして知られるのが、バート・デュルクハイムの「ヴルストマルクト」ワイン祭り。ハイルブロンやヴュルツブルクのワイン祭り、シュトゥットガルトの「ワインドルフ」も有名だ。ワイマールでは、ワイン好きで有名だったゲーテの誕生日の8月28日前後にワイン祭りを開催。ちなみに、ゲーテは馬車一杯のワイン樽を贈られれば大抵のことは叶えてくれたとか。

★ドイツの白ワインの代表的なブドウの品種は→P51

この地方の特産ワインは何ですか？
Was für Landweine gibt es ?
ヴァス フュアー ラントヴァイネ ギプト エス↗

●ワインケラー

テーブル席
Sitzplätze am Tisch
ズィッツプレッツェ アム ティッシュ

美味しい！
私の好みのワインです
Das ist lecker! Das ist mein Geschmack.
ダス イスト レッカー ダス イスト マイネ ゲシュマック

空席
leere Sitzplätze
レーレ ズィッツプレッツェ

カウンター席
Sitzplätze an der Theke
ズィッツプレッツェ アン デアー テーケ

地下
der Keller (m)
デア ケラー

満席
Alles belegt
アレス ベレークト

使える！ワードバンク　ワインの産地編

ラインガウ	**Rheingau**	ラインガウ
ラインヘッセン	**Rheinhessen**	ラインヘッセン
フランケン	**Franken**	フランケン
プファルツ	**Pfalz**	ファルツ

ひとくちコラム

ワインケラー（ワイン酒場）
ワインケラーというと、リューデスハイムのつぐみ横丁が有名だが、実は、街にはたいていワインケラーがあり、おいしい郷土料理がリーズナブルに食べられる。地元の人が静かにグラスを傾ける店から、観光客に人気の店、飲んで歌って騒げる店まであり、バンドの生演奏があるところも多い。日本人客に合せて「スキヤキ」などを演奏してくれることも。盛り上がりたい人は、ぜひ訪ねてみたい。

★リースリングRiesling、ミュラー・トゥルガウMüller-Thurgau、シルヴァーナーSilvanerの3種類

ビアホール

Bierhalle
ビアハッレ

ここに座ってもいいですか？
Ist hier noch frei?
イスト ヒアー ノッホ フライ♪

メニューをください
Die Speisekarte , bitte.
ディ シュパイゼカルテ ビッテ

お宅の自家製ビールをください
Ein Hausbier, bitte.
アイン ハウスビアー ビッテ

中グラス
Mittlerer Becher (m)
ミッテレアー ベッヒャー

小グラスでお願いします
Einen kleinen Becher , bitte.
アイネン クライネン ベッヒャー ビッテ

大グラス
Großer Becher (m)
グローセアー ベッヒャー

醸造所直営
Direkter Verkauf an der Brauerei
ディレクター フェアカウフ アン デアー ブラウエライ

ジョッキ
Bierkrug (m)
ビアークルーク

あれと同じものをください
Kann ich das selbe haben?
カン イッヒ ダス ゼルベ ハーベン♪

ピッチャー
Krug (m)
クルーク

使える！ワードバンク 〈おつまみ編〉

ローストチキン	**Hühnerbraten** (m)	ヒューナーブラーテン
ソーセージ	**Wurst** (f)	ヴルスト
ロールキャベツ	**Kohlroulade** (f)	コールルラーデ
フランクフルターソーセージ	**Frankfurter Wurst** (f)	フランクフルターヴルスト
白ソーセージ	**Weißwurst** (f)	ヴァイスヴルスト
ニュルンベルクの焼きソーセージ	**Nürnberger Bratwurst** (f)	ニュルンベルガーブラートヴルスト
チューリンガーソーセージ	**Thüringer Wurst** (f)	チューリンガーヴルスト
メットブルスト	**Mettwurst** (f)	メットヴルスト

ひとくちコラム
ドイツのビールが美味しいわけ 味、色、香り、アルコール度数などはさまざまだが、ドイツでビールとよばれるのは、麦芽、ホップ、水、酵母のみで作られたものに限られる。これは1516年に定められた「ビール純粋法」によるもので、政権が変わってもこの法律だけは守られてきた。個性豊かな地ビールでその味を楽しもう。

ひとくちコラム
オクトーバーフェストって？ 早い話がビール祭り。歴史は古く、1810年10月に行われたバイエルン皇太子の結婚の祝賀会が始まり。毎年10月の最初の日曜日を最終日として16日間開催され、世界各国から数百万人のビール好きが集まる。期間限定の「オクトーバーフェスト・ビール」は格別。

★地元産のビールを楽しみたいなら醸造所直営のレストラン、ブリュワリー BräuereiへGO！

この地方特産のビールは何ですか？
Was für Bierspezialitäten gibt es hier?
ヴァス　フュアー　ビアシュペツィアリテーテン　ギープト　エス　ヒアー↗

ブレッツェル
Brezel
ブレッツェル

生演奏
Live-Spiel
ライブ　シュピール

踊る
tanzen
タンツェン

乾杯！
Prost!
プロースト

オクトーバーフェスト
Oktoberfest
オクトーバーフェスト

使える！ワードバンク　ビールの種類編

●ラガー
ピルス／ピルスナー（全土）	**Pils**(n) **Pilsner**(n)	ピルスナー
ミュンヘナー（ミュンヘン）	**Münchner**	ミュンヘナー
ディンケルアッカー（シュトゥットガルト）	**Dinkelacker**	ディンケルアッカー
ドゥンケルス（ミュンヘン）	**Dunkeles**	デュンケルス
ラオホビア（バンベルク）	**Rauchbier**(n)	ラオホビーア

●エール
アルトビア（デュッセルドルフ）	**Altbier**(n)	アルトビーア
ケルシュビア（ケルン）	**Kölschbier**(n)	ケルシュビーア

●小麦タイプ
ヴァイツェン／ヴァイス（バイエルン地方）	**Weizen**(n) **Weiß**(f)	ヴァイツェン　ヴァイス
ベルリナー・ヴァイセ（ベルリン）	**Berliner Weisse**(n)	ベルリーナー　ヴァイセ

★ミュンヘンのビアホールでただ「ビール」と頼むと、1ℓジョッキが出てくる。これをゴクゴク

ファストフード

Schnellimbiss
シュネルインビス

焼きソーセージをはさんだパンをください
Ein Brötchen mit Bratwurst, bitte.
アイン ブロートヒエン ミット ブラートヴルスト ビッテ

マスタードをつけますか?
Mit Senf ?
ミット ゼンフ↗

お願いします
Ja, bitte.
ヤー ビッテ

結構です
Nein, danke.
ナイン ダンケ

カレーソーセージ
Currywurst (f)
カリーヴルスト

茹でソーセージ
Gekochte Wurst (f)
ゲコホテ ヴルスト

サラミ
Salami (f)
ザラーミ

ハム
Schinken (m)
シンケン

チーズ
Käse (m)
ケーゼ

サケ
Lachs (m)
ラクス

魚のフライ
Fritierter Fisch (m)
フリティアテアー フィッシュ

フライドチキン
Fritiertes Hühnchen (n)
フリティアテス ヒューンヒエン

ハンバーガー
Hamburger (m)
ハンブルガー

ドネルケバブ
Döner Kebab (m)
デョーネアー ケバーブ

ノルトゼー
Nordsee (m)
ノルトゼー

イカのリング揚げ
Fritierte Tintenfischringe (pl)
フリティエテ ティンテンフィッシュリンゲ

ひとくちコラム
ドイツのファストフード
ドイツ版ファストフード店ともいえるのがインビスImbiss。地方色豊かなソーセージやポテトをぜひ。テイクアウトもOK。シーフードの「ノルトゼーNordsee」は肉料理に飽きたときに。トルコ料理のドネルケバブも、いまやドイツの国民食だ。

ひとくちコラム
ドイツの朝食は豪華
ヨーロッパ各国を旅していると感じるのは、朝食が簡素ということ。ところがドイツはビュッフェスタイルが基本。数種類のハムやソーセージ、チーズ、ジャム、ジュースはもちろん、ちょっとしたホテルなら、卵やシリアル、魚の燻製、フルーツなども並ぶ。もちろん焼きたてのパンもどっさり。

★ドイツでは余分な包装はしないので、日本のスーパーの袋を持って行くと何かと便利

ここで食べていきますか?
Essen Sie es hier ?
エッセン ズィー エス ヒアー↗

いいえ、持ち帰ります
Nein, zum Mitnehmen.
ナイン ツム ミットネーメン

はい、ここで食べます
Kann man hier essen ?
カン マン ヒアー エッセン↗

メニュー
Speisekarte (f)
シュパイゼカルテ

先払い
Zahlen in Vorraus
ツァールング イン フォーラウス

セルフサービス
Selbsbedienung
ゼルプストベディーヌング

24時間営業
24 Stunden geöffnet
フィアウントツヴァンツィヒ シュテュンデン ゲオフネト

料金表
Preisliste (f)
プライスリステ

これはいくらですか?
Wieviel kostet das ?
ヴィーフィール コステト ダス↗

全部でいくらになりますか?
Wieviel kostet es alles zusammen ?
ヴィーフィール コステト エス アッレス ツザンメン↗

お釣り
Wechselgeld (n)
ヴェクセルゲルト

ポークのシュニッツェルをください
Ich möchte gerne Schweineschnitzel, bitte.
イッヒ メヒテ ゲルネ シュヴァイネシュニッツェル ビッテ

トレイを持って、会計で、お金を払ってください
Nehmen Sie das Tablett und bezahlen Sie bitte an der Kasse.
ネーメン ズィー ダス タブレット ウント ベツァーレン ズィー ビッテ アン デア カッセ

禁煙席	喫煙席	ゴミ箱
Nichtraucherplatz (m)	**Raucherplatz** (m)	**Müllkasten** (m)
ニヒトラウハープラッツ	ラウハープラッツ	ミュルカステン

★ドイツ語でテイクアウトは、Mitnehmen ミットネーメン という

買おう

節約大好き、エコロジー賛成のドイツでは、「身近なことからコツコツと」の精神が、そこここで見られます。

薄切りの理由？

久しぶりにすき焼きを作ろっと

牛肉を薄く切ってください

そんなに薄い肉で何ができるの？

おしょーゆと砂糖と肉をいためて

で、野菜も入れて

生卵もつけて

おいしそうでしょ？

そーいう節約した食べ方するから日本人は太らないのね

エコロジーだから

スーパーマーケットでは買い物袋を持参しましょう

78ユーロです

何故なら、ドイツはエコロジーの国なので

え？　え？　袋は？

日本のようにプラスティックの袋をくれるわけではありません

タダじゃないのね

有料

買ったものを持ち帰るのが大変です。

はじめよう　歩こう　食べよう　買おう　極めよう　伝えよう　日本の紹介

買い物へ行こう

Verschiedene Läden
フェアシーデネ レーデン

いらっしゃいませ 何かお探しですか？
Guten Tag. Kann ich Ihnen helfen?
グーテン ターク
カン イッヒ イーネン ヘルフェン↗

はい
Ja.
ヤー

いいえ
Nein.
ナイン

時計を探しています
Ich suche eine Armbanduhr.
イッヒ ズーヘ アイネ アルムバントウーア

見ているだけです ありがとう
Ich möchte mich nur umschauen. Danke.
イッヒ メヒテ ミッヒ ヌーア ウムシャウエン ダンケ

専門店	デパート	免税店
Fachgeschäft (n)	**Kaufhaus** (n)	**Duty-freeshop** (m)
ファッハゲシェフト	カウフハウス	デューティーフリーショップ

● ショッピング街

ブティック
Boutique (f)
ブティーク

薬局
Apotheke (f)
アポテーケ

食料品店
Lebensmittelgeschäft (n)
レーベンスミッテルゲシェフト

精肉店
Fleischer (m)
フライシャー

鮮魚店
Fischhändler (m)
フィッシュヘンドラー

青果店
Gemüsehändler (m)
ゲミューゼヘンドラー

★店に入ったら、あいさつしよう。軽く会釈するだけでもかまわない

これをください
Ich nehme das.
イッヒ ネーメ ダス

いくらですか？
Was kostet das?
ヴァス コステット ダス ↗

他のものを見せてください
Können Sie mir bitte etwas anderes zeigen?
ケネン ズィー ミア ビッテ エトヴァス アンデレス ツァイゲン ↗

領収書
Quittung (f)
クヴィットゥング

このクレジットカードは使えますか？
Nehmen Sie diese Kreditkarte an?
ネーメン ズィー ディーゼ クレディートカルテ アン ↗

おつり
Wechselgeld (n)
ヴェクセルゲルト

少し安くなりませんか？
Wird es etwas billiger?
ヴィルト エス エトヴァス ビリガー ↗

ごめんなさい、また来ます
Ich komme wieder. Danke schön.
イッヒ コメ ヴィーダー ダンケ シェーン

使える！ワードバンク 店の種類編

紳士服店	**Herrenbekleidungsgeschäft** (n) ヘレンベクライドゥングスゲシェフト
婦人服店	**Damenbekleidungsgeschäft** (n) ダーメンベクライドゥングスゲシェフト
靴店	**Schuhgeschäft** (n) シューゲシェフト
鞄店	**Taschengeschäft** (n) タッシェンゲシェフト
ジュエリーショップ	**Juweliergeschäft** (n) ユヴェリーアゲシェフト
眼鏡店	**Optiker** (m) オプティカー
時計店	**Uhrengeschäft** (n) ウーレンゲシェフト
カメラ店	**Fotogeschäft** (n) フォートゲシェフト
玩具店	**Spielzeuggeschäft** (n) シュピールツォイクゲシェフト
楽器店	**Musikladen** (m) ムズィークラーデン
CDショップ	**CD-Laden** (m) ツェーデーラーデン
文具店	**Schreibwarengeschäft** (n) シュライプヴァーレンゲシェフト
民芸品店	**Volkskunstgeschäft** (n) フォルクスクンストゲシェフト
みやげ物店	**Souvenirladen** (m) ズヴェニーアラーデン
ショッピングモール	**Einkaufshalle** (f) アインカウフスハレ
スーパーマーケット	**Supermarkt** (m) ズーパーマルクト
酒店	**Spirituosengeschäft** (n) シュピリトゥオーゼンゲシェフト
雑貨店	**Gemischtwarengeschäft** (n) ゲミシュトヴァーレンゲシェフト

書店
Buchhandlung (f)
ブーフハンドルング

キオスク
Kiosk (m)
キオスク

パン屋
Bäckerei (f)
ベッケライ

ケーキ屋
Konditorei (f)
コンディトライ

★店員に声をかけられたら、答えること。無視するのは失礼にあたる

素材・色・柄

Material, Farbe, Muster
マテリアル, ファルベ, ムスター

他の色のものを見せてください
Können Sie mir andere Farben zeigen?
ケンネン ズィー ミア アンデレ ファルベン ツァイゲン♪

はい *Ja.* ヤー

いいえ *Nein.* ナイン

これはあまり私の好みではありません
Diese Farbe ist nicht mein Geschmack.
ディーゼ ファーベ イスト ニヒト マイン ゲシュマック

明るい色のものはありますか？
Haben Sie noch hellere Farben?
ハーベン ズィー ノッホ ヘルレレ ファルベン♪

派手な色 bunte Farbe (f)
ブンテ ファルベ

暗い色 dunkle Farbe (f)
ドゥンクレ ファルベ

濃い色 satte Farbe (f)
ザッテ ファルベ

淡い色 helle Farbe (f)
ヘッレ ファルベ

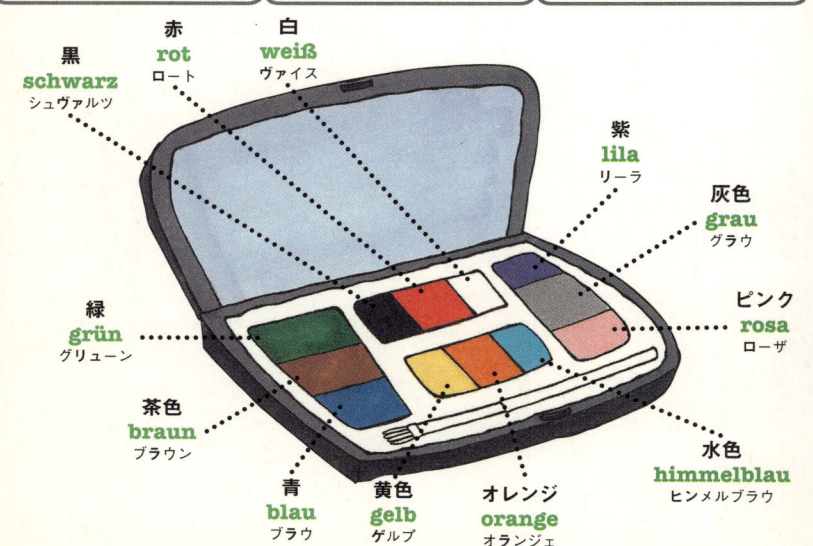

- 黒 **schwarz** シュヴァルツ
- 赤 **rot** ロート
- 白 **weiß** ヴァイス
- 紫 **lila** リーラ
- 灰色 **grau** グラウ
- 緑 **grün** グリューン
- ピンク **rosa** ローザ
- 茶色 **braun** ブラウン
- 青 **blau** ブラウ
- 黄色 **gelb** ゲルプ
- オレンジ **orange** オランジェ
- 水色 **himmelblau** ヒンメルブラウ

★商品にはむやみに触らないようにしよう。見たい場合は店員にひと声かけて

これは何でできているのですか？
Aus was für einen Stoff besteht das?
アウス ヴァス フュアー アイネン シュトフ ベシュテート ダス↗

アンゴラです
Das ist Angorawolle.
ダス イスト アンゴーラヴォレ

カシミヤでできたものはありませんか？
Haben Sie was aus Kaschmir?
ハーベン ズィー ヴァス アウス カシュミーア↗

綿	麻
Baumwolle (f)	**Leinen** (n)
バウムヴォレ	ライネン

絹	ナイロン	ニット	ウール
Seide (f)	**Nylon** (n)	**Strickwaren** (pl)	**Wolle** (f)
ザイデ	ナイロン	シュトリックヴァーレン	ヴォレ

ボーダー	牛革	羊革	ヤギ革
quer gestreift	**Rindsleder** (n)	**Hammelleder** (n)	**Ziegenleder** (n)
クベアー ゲシュトライフト	リンツレーダー	ハンメルレーダー	ツィーゲンレーダー

チェックの	スエード	エナメル	合成皮革
kariert	**Wildleder** (n)	**Email** (n)	**Kunstleder** (n)
カリーアト	ヴィルトレーダー	エマイル	クンストレーダー

ストライプの
längs gestreift
レングス ゲシュトライフト

水玉の
gepunktet
ゲプンクテット

花柄
Blumenmuster (n)
ブルーメンムスター

使える！ワードバンク 素材・色・柄編

馬革	**Pferdeleder** (n)	フェルデレーダー
ブタ革	**Schweinsleder** (n)	シュヴァインスレーダー
ワニ革	**Krokodilleder** (n)	クロコディールレーダー
毛皮	**Pelz** (m)	ペルツ
無地	**uni**	ユーニ
地味な	**schlicht**	シュリヒト
鮮やかな	**glänzend**	グレンツェント
ポリエステル	**Polyester** (m)	ポリュエスター
オーストリッチ	**Straußleder** (n)	シュトラウスレーダー
18金	**18 K**	アフツェーン カー
銀	**Silber** (n)	ズィルパー
プラチナ	**Platin** (n)	プラーティン

★商品を買うときは、品物を出してくれたりアドバイスしてくれた店員から買うのがマナー

サイズ・スタイル・アイテム

Größe, Stil, Artikel
グレーセ, シュティール, アルティーケル

試着してみていいですか？
Kann ich das anprobieren?
カン　イッヒ　ダス　アンプロビーレン♪

はい。どうぞこちらへ
Bitte, hier.
ビッテ　ヒアー

大きすぎます
Das ist zu groß.
ダス　イスト　ツー　グロース

ピッタリです
Es passt mir genau.
エス　パスト　ミア　ゲナウ

もっと<u>小さい</u>のはありませんか？
Haben Sie noch <u>kleinere</u> Größen?
ハーベン　ズィー　ノッホ　<u>クライナレ</u>　グレーセン♪

派手な
bunte
ブンテ

地味な
schlicht
シュリヒト

ひとくちコラム
ドイツのブランド
最近では日本でも見かけるようになったドイツブランド。BIRKENSTOCKS（ビルケンシュトック）やBREE（ブリー）をはじめ、特に革製品は丈夫かつ機能的。

長い
groß
グロース

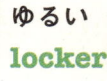

短い
kurz
クルツ

ゆるい
locker
ロッカー

きつい
eng
エング

● 紳士もの

スニーカー
Turnschuhe (pl)
トゥルンシューエ

靴
Schuhe (pl)
シューエ

セーター
Pullover (m) / **Sweater** (m)
プローヴァー／スヴェーター

ベスト
Weste (f)
ヴェステ

スーツ
Anzug (m)
アンツーク

ジャケット
Jackett (n)
ジャケット

シャツ
Hemd (n)
ヘムト

パンツ（ズボン）
Hose (f)
ホーゼ

★商品には16％の付加価値税がかかっている。旅行者の場合払い戻しの請求ができる

長袖の
langärmlig
ラングエアムリク

マフラー
Schal (m)
シャール

半袖の
kurzärmlig
クルツエアムリク

手袋
Handschuhe (pl)
ハントシューエ

ノースリーブ
ärmellos
エルメルロース

帽子
Hut (m)
フート

ブレザー
Blazer (m)
ブレーザー

下着
Unterwäsche (pl)
ウンターヴェッシェ

ネクタイ
Krawatte (f)
クラヴァッテ

靴下
Strumpf (m)
シュトゥルムプフ

スカート
Rock (m)
ロック

パジャマ
Schlafanzug (m)
シュラーフアンツーク

使える！ワードバンク スタイル編

寸法	Größe (f)	グレーセ
襟	Kragen (m)	クラーゲン
襟なしの	ohne Kragen	オーネ クラーゲン
丸首の	Halsausschnitt	ハルスアウスシュニット
Vネック	V-ausschnitt (m)	ファウ アウスシュニット
タートルネック	Rollkragen (m)	ロルクラーゲン
リバーシブル	beidseitig tragbar	バイドザイティヒ トラークバール
オーダーメイド	maßgeschneidert	マースゲシュナイデアト
ボタン	Knopf (m)	クノップフ
ジッパー	Reißverschluss (m)	ライスフェアシュルス
ポケット	Tasche (f)	タッシェ
フード	Kapuze (f)	カプーツェ

使える！ワードバンク アイテム編

ローファー	Halbschuhe (pl)	ハルプシューエ
トレッキングシューズ	Wanderschuhe	ヴァンダーシューエ
ストッキング	Strumpfhose (f)	シュトゥルンプフホーゼ
ポーチ	Täschchen (n)	テッシェン
スーツケース	Koffer (m)	コッファー
アタッシェケース	Aktenkoffer (m)	アクテンコッファー
傘	Regenschirm (m)	レーゲンシルム
ベルト	Gürtel (m)	ギュルテル
財布	Geltbeutel (m)	ゲルトボイテル
ハンカチ	Taschentuch (n)	タッシェントゥーフ
ワンピース	Kleid (n)	クライト

● 婦人もの

カーディガン
Strickjacke (f)
シュトリックヤッケ

ブーツ
Stiefel (pl)
シュティーフェル

サンダル
Sandalen (pl)
サンダーレン

ハイヒール
Stöckelschuhe (pl)
シュテッケルシューエ

ワンピース
Kleid (n)
クライト

ブラウス
Bluse (f)
ブルーゼ

スカーフ
Halstuch (n)
ハルストゥーフ

ストール
Stola (f)
シュトーラ

ドイツの名品・おみやげ

Feine Einzelteile, Andenken
ファイネ アインツェルタイレ、アンデンケン

これはシュタイフ社の製品ですか？
Sind diese Waren von Firma Steiff?
ズィント ディーゼ ヴァーレン フォン フィルマー シュタイフ ♪

はい / Ja. ヤー

いいえ / Nein. ナイン

工房を見ることができますか？
Kann man die Werkstatt besichtigen?
カン マン ディー ヴェルクシュタット ベズィヒティゲン ♪

この地方特産の珍しい物はありませんか？
Haben Sie Spezialitäten dieser Gegend?
ハーベン ズィー シュペツィアリテーテン ディーザー ゲーゲント ♪

これをください
Ich nehme das.
イッヒ ネーメ ダス

会計は、どこですか？
Wo ist die Kasse?
ヴォー イスト ディー カッセ ♪

● みやげ物店

- 壁掛け **Wandhang** (m) ヴァントハング
- ボールペン **Kugelschreiber** (m) クーゲルシュライバー
- 写真集 **Foto** (n) フォート
- オルゴール **Spieldose** (f) シュピールドーゼ
- 地図 **Landkarte** (f) ラントカルテ
- フォトスタンド **Bilderrahmen** (m) ビルダーラーメン
- ぬいぐるみ **Stoffpuppe** (f) シュトフプッペ
- 人形 **Puppe** (f) プッペ
- ガイドブック **Reiseführer** (m) ライゼフューラー

★ドイツの名品といえば刃物、陶磁器、おもちゃ、ステーショナリーなどなど

日本語	ドイツ語	カナ

磁器（マイセン）
Porzellan (Meissen) (n)
ポルツェラーン

木のおもちゃ（ザイフェン）
Holzspielzeug (Seiffen) (n)
ホルツシュピールツォイク

テディベア（シュタイフ社）
Teddybär (Steiff) (m)
テディーベアー

鉄道模型（メルクリン）
Modelleisenbahn (Marklin) (f)
モデルアイゼンバーン

刃物（ヘンケルス）
Messer (Henkels) (n)
メッサー

筆記具（シュテットラー）
Schreibwaren (Staedtler) (pl)
シュライブヴァーレン

革製品
Lederware (f)
レーダーヴァーレ

カトラリー
Besteck (n)
ベシュテック

ハーモニカ
Mundharmonika (f)
ムントハーモーニカ

スポーツ靴
Sportschue (pl)
シュポルトシューエ

めがね
Brille (f)
ブリレ

ひとくちコラム
ドイツの名品みやげ
ドイツ製品の品質の良さは、ドイツ独自の職業教育制度「マイスター制度」のなせる業。機能性重視の一生ものを見つけよう。

使える！ワードバンク　おみやげ編

日本語	ドイツ語	カナ	日本語	ドイツ語	カナ
万年筆	**Füllfeder** (f)	フュルフェーダー	酒類	**Alkohol** (m)	アルコホール
手帳	**Notizbuch** (n)	ノーティツブーフ	グラス	**Glas** (n)	グラース
ペーパーウエイト	**Briefbeschwerer** (m)	ブリーフベシュヴェラー	ビタミン	**Vitamin** (n)	ヴィタミーン
絵本	**Bilderbuch** (n)	ビルダーブーフ	バスソルト	**Badesalz** (n)	バーデザルツ
写真集	**Fotosammlung** (pl)	フォトザムルング	オーデコロン	**Kölnischwasser** (n)	ケルニッシュヴァッサー
ハト時計	**Kuckucksuhr** (f)	クックークスウアー	腕時計	**Armbanduhr** (f)	アルムバントウーア
ワインオープナー	**Weinöffner** (m)	ヴァインエフナー	カフスボタン	**Manschettenknopf** (m)	マンシェテンククノップ
栓抜き	**Öffner** (m)	エフナー	免税品	**Zollfreie Sachen** (pl)	ツォルフライエザッヘン

★テディベアの生まれた国だけに、あらゆるテディグッズがある。特にショートパスタは人気

化粧品・アクセサリー・日用品

Kosmetika, Schmuck, Haushaltswaren
コスメティカ、シュムック、ハオスハルツヴァーレン

贈り物にしたいのですが
Das ist als Geschenk gedacht.
ダス イスト アルス ゲシェンク ゲダハト

かしこまりました
Sehr wohl.
ゼア ヴォール

ありがとう。きれいに包んでいただけますか？
Danke. Können Sie das schön verpacken?
ダンケ ケネン ズィー ダス シェーン フェアパッケン♪

別々に包んでください
Können Sie das einzeln verpacken?
ケンネン ズィー ダス アインツェルン フェアパッケン♪

香水
Parfüm (n)
パルフューム

オーデコロン
Kölnischwasser (n)
ケルニッシュヴァッサー

口紅
Lippenstift (m)
リッペンシュティフト

ファンデーション
Grundierung (f)
グルンディールング

アイシャドウ
Lidschatten (m)
リートシャッテン

マスカラ
Wimperntusche (f)
ヴィンペアントゥッシェ

マニキュア
Nagellack (m)
ナーゲルラック

タオル
Tuch (n)
トゥーフ

テーブルクロス
Tischdecke (f)
ティッシュデッケ

クッション
Kissen (n)
キッセン

スリッパ
Pantoffel (m)
パントッフェル

皿
Teller (m)
テラー

包丁
Küchenmesser (n)
キュッヘンメッサー

鍋
Topf (m)
トプフ

コーヒーカップ
Kaffetasse (f)
カッフェータッセ

ひとくちコラム
ドイツの日用品
機能性にすぐれ、何年も飽くことなく使えるドイツの日用品。鋭い切れ味の刃物や吸水性抜群のタオルなど、おみやげにもできるので要チェック。

★日本でもよく知られているニベアNIVEAもドイツブランド。メイク用品も充実している

●装身具

ピアス **Ohrring** (m) オーアリング

サングラス **Sonnenbrille** (f) ゾンネンブリレ

ブローチ **Brosche** (f) ブロッシェ

イヤリング **Clip** (m) クリップ

ネックレス **Halskette** (f) ハルスケッテ

指輪 **Ring** (m) リング

ブレスレット **Armband** (n) アルムバント

ペンダント **Anhänger** (m) アンヘンガー

日焼け止めクリーム **Sonnenschutzcreme** (f) ゾネンシュッツクレーム	ボールペン **Kugelschreiber** (m) クーゲルシュライバー	新聞 **Zeitung** (f) ツァイテュング
ビューラー **Wimpertusche** (f) ヴィンパーテュッシェ	キッチンばさみ **Küchenschere** (f) キュッヘンシェーレ	シェーバー **Rasierer** (m) ラズィーラー

使える！ワードバンク 〈アクセサリー・日用品編〉

ルビー	**Rubin** (m) ルービン
エメラルド	**Smaragd** (m) スマラクト
サファイア	**Saphir** (m) ザーフィル
アメジスト	**Amethyst** (m) アメズュスト
オパール	**Opal** (m) オパール
トルコ石	**Türkis** (m) テュルキース
ガーネット	**Granat** (m) グラナート
ダイヤモンド	**Diamant** (m) ディアマント
ヒスイ	**Jade** (f) ヤーデ
水晶	**Kristall** (m) クリスタル
琥珀	**Bernstein** (m) ベルンシュタイン
真珠	**Perle** (f) ペルレ
アクアマリン	**Aquamarin** (m) アクワマリーン
トパーズ	**Topas** (m) トパース
ペリドット	**Peridot** (m) ペリドット
バスタオル	**Badetuch** (n) バーデトゥーフ
クリーム	**Creme** (f) クレーム

スーパー・デパートへ行こう

Supermarkt, Kaufhaus
ズーパーマルクト, カウフハオス

チョコレートはどこにありますか？
Wo gibt es Schokolade?
ヴォー ギープト エス ショコラーデ↗

レジ横の棚にあります
Das gibt es im Regal neben der Kasse.
ダス ギープト エス イム レガール ネーベン デアー カッセ

持ち帰り用袋はいりますか？
Brauchen Sie eine Tüte ?
ブラウヘン ズィー アイネ テューテ↗

いいえ、いりません
Nein, brauche ich nicht.
ナイン ブラウヘ イッヒ ニヒト

はい、お願いします
Ja, bitte.
ヤー ビッテ

合計金額
Gesamtsumme (f)
ゲザムトズンメ

値段
Preis (m)
プライス

おつり
Wechselgeld (n)
ヴェクセルゲルト

ひとくちコラム
スーパーの袋について
ドイツでは、ビニール製の買い物袋は購入しなければならない。となると布製の買い物用袋を買って何度も利用する方が、安くすみ環境にもやさしい。

●スーパーマーケット

魚
Fisch (m)
フィッシュ

肉
Fleisch (n)
フライシュ

酒
Alkohol (m)
アルコホール

野菜
Gemüse (n)
ゲミューゼ

果物
Obst (n)
オープスト

かご
Korb (m)
コルプ

菓子
Süßigkeit (f)
ズースィヒカイト

保存食料
Konserven (f)
コンザーヴェン

生活用品
Haushaltsartikel (p)
ハウスハルツアルティーケル

★定価販売が基本だが、大手デパートでは7月下旬～や1月下旬～にバーゲンをすることもある

おつりが違います
Das Wechselgeld stimmt nicht.
ダス ヴェクセルゲルト シュティムト ニヒト

返品したいのですが
Ich möchte das zurückgeben.
イッヒ メヒテ ダス ツリュックゲーベン

惣菜
Beilagen (pl)
バイラーゲン

缶詰
Dose (f)
ドーゼ

生鮮食品
leichtverderbliche Esswaren (pl)
ライヒトフェアデルブリヒェエスヴァーレン

チーズ
Käse (m)
ケーゼ

乾物
getrocknete Esswaren (pl)
ゲトロックネーテエスヴァーレン

雑誌
Zeitschrift (f)
ツァイトシュリフト

スープの素
Päckchensuppe (f)
ペクヒェンズッペ

紅茶
Tee (m)
テー

缶ビール
Dosenbier (n)
ドーゼンビアー

レトルト食品
Retortennahrung (f)
レトルテンナールング

インスタント食品
Instantfood (n)
インスタントフード

ひとくちコラム
デパートの支払いいろいろ
ドイツでは、買うものが決まったらレジにいる販売員に代金を支払い、受け取ったレシートを売り場に持って戻り、販売員に見せて商品を受け取る。

乳製品
Milchprodukte (pl)
ミルヒプロデュクテ

飲み物
Getränk (n)
ゲトレンク

バーゲン！
Ausverkauf
アウスフェアカウフ

レジ
Kasse (f)
カッセ

カート
Einkaufswagen (m)
アインカウフスヴァーゲン

使える！ワードバンク　スーパー編

パン	**Brot** (n)	ブロート
牛乳	**Milch** (f)	ミルヒ
キャンディー	**Bonbon** (n)	ボンボン
チューインガム	**Kaugummi** (m)	カウグミ
クラッカー	**Kräcker** (m)	クレッカー
瓶詰め	**Flaschenabfüllung** (f)	フラッシェンアプフュルング
シャンプー	**Shampoo** (n)	シャンプー
リンス	**Spülung** (f)	シュピュールング
歯ブラシ	**Zahnbürste** (f)	ツァーンビュルステ
歯磨き	**Zahnpaste** (f)	ツァーンパステ
石鹸	**Seife** (f)	ザイフェ
洗剤	**Waschmittel** (n)	ヴァッシュミッテル
インスタントコーヒー	**Instantkaffee** (m)	インスタントカフェ
ポテトチップス	**Chips** (pl)	チップス
ティッシュペーパー	**Tempo** (f)	テンポ
40%オフ	**40 Prozent Rabatt**	フィルツィヒ プロツェント ラバット

極めよう

スポーツも文化もお国柄が出るものです。しっかり自己主張するイメージのあるドイツ人。さてサッカーとなると？

ドイツ式

ドイツでは独特なサッカーの応援のやり方があります

ブレーメンのクローゼ選手がバイエルン戦でゴールしたとしましょう

ミロスラフ

アナウンサーが得点者のファーストネームを叫ぶと

クローゼ〜

ファンはファミリーネームを叫びます

ブレーメン

アナウンサーがチーム名を叫ぶと

1（アインス）〜

ファンは

| バイエルン〜 | 0（ヌール） |

アナウンサーが相手チームを叫ぶと

ファンは「0点」と叫びます

| ふーん | ほー |

アナウンサーとファンのかけ合いなのです

| 0（ヌール） | え？ | 0じゃないよね |
| え？ | | え？ |

面白いのは相手選手が何点取ろうがホームチームが負けていようが、ファンが相手のチームのスコアを叫ぶときには常に「0（ヌール）！」と叫ぶところです

はじめよう / 歩こう / 食べよう / 買おう / 極めよう / 伝えよう / 日本の紹介

サッカーを観戦しよう
Fußball ansehen
フースバル アンゼーエン

チケットを取ることはできますか?
Kann ich noch Karten bekommen?
カン イッヒ ノッホ カルテン ベコメン♪

何人ですか?
Wieviele Personen?
ヴィーフィーレ ペルゾーネン♪

3人です
Drei Personen.
ドライ ペルゾーネン

フォワード
Stürmer (m)
シュテュルマー

ミッドフィルダー
Mittelfeldspieler (m)
ミッテルフェルトシュピーラー

ディフェンス
Verteidiger (m)
フェアタイデガー

ゴールキーパー
Torwart (m)
トーアヴァルト

フリーキック
Freistoß
フライシュト

コーナーキック
Eckball (m)
エッケバル

スローイン
Einwurf
アインヴ

「すごい!」 "Super!!" ズーパー!

「シュート!」 "Schieß!" シース!

「素晴らしいプレイ」 "Klasse!" クラッセ!

「落ち着け!」 "Ruhe, Ruhe" ルーエ ルーエ!

「演技するな」 "Schauspieler!" シャオシュピーラー!

ひとくちコラム
ドイツサッカーについて
ドイツ代表は、ワールドカップ優勝3回の強豪。国内のブンデスリーガ(連邦リーグ)ではバイエルン・ミュンヘンはじめ2部16チームがしのぎを削る。

ひとくちコラム
定番の応援歌1
"ドイツのために立ち上がろう〜Steht auf für Deutschland!"。メロディーは、ペットショップ・ボーイズの大ヒット曲のゴーウェスト。観客が総立ちで、手を叩き「シュテート・アウフ〜」と歌う。まわりの人と一緒に立ち上がって歌おう!

ひとくちコラム
定番の応援歌2
"さぁ今からだ〜Jetzt geht's los"「イェーツト・ゲーツ・ロース」からはじまる歌詞で、ドイツ代表チームの定番応援歌。試合中に必ず数回は歌われる。特に劣勢から盛り返して反撃に移る際に歌われる。

使える!ワードバンク 〈ゲーム編1〉

ワールドカップ	**Weltmeisterschaft**	ヴェルトマイスターシャフト
ホーム	**Heimspiel** (n)	ハイムシュピール
アウェイ	**Auswärtsspiel** (n)	アウスヴェルツシュピール
前半/後半	**1 Hälfte / 2 Hälfte** (f)	エアステヘルフテ / ツヴァイテヘルフテ
ロスタイム	**Nachspielzeit** (f)	ナッハシュピールツァイト
チャンピオン	**Meister** (m)	マイスター

★ブンデスリーガのシーズンは8月下旬〜翌年5月中旬(12月中旬〜2月中旬は休み)

「ゴール」
"Tor!"
トーーア！

「もっとがんばれ！」
"Weiter! Weiter!"
ヴァイター！ヴァイター！

「くそったれ！」
"Scheiße!"
シャイセ！

レッドカード
Rote Karte (f)
ローテ カルテ

審判
Schiedsrichter (m)
シーツリヒター

「走れ！」
"Lauf!"
ラウフ！

ヘディング
Kopfball (m)
コップフバル

クロス
Flanke (f)
フランケ

PK
Elfmeter (m)
エルフメーター

「残念！」
"Schade!"
シャーデ！

ファウル
Foul (n)
フォウル

イエローカード
Gelbe Karte (f)
ゲルブ カルテ

「ナイスセーブ！」
"Gute Parade!"
グーテパラーデ！

「あきらめるな！」
"Nie aufgeben!"
ニー アウフゲーベン！

「2対0です」
"Zwei zu Null"
ツヴァイ ツー ヌル！

「オフサイドです」
"Abseits"
アブザイツ！

チケットを2枚ください
Zwei Karten bitte!
ツヴァイ カルテン ビッテ♪

この席は空いていますか？
Ist dieser Platz frei?
イスト ディーザー プラッツ フライ♪

使える！ワードバンク　ゲーム編2

監督	**Trainer** (m)	トレイナー
司令塔	**Regisseur** (m)	レジセーア
ゲームメーカー	**Spielmacher** (m)	シュピールマッハー
先発	**Startelf** (f)	シュタートエルフ
交代	**Wechsel** (m)	ヴェクセル
出場停止	**Sperre** (f)	シュペッレ
ケガ	**Verletzung** (f)	フェアレッツング

★チケットはスタジアムでも買えるが、人気の対戦カードは事前に購入したほうがよい

サッカースタジアムで
Im Fußballstadion
イム　フースバルシュタディオーン

バンダナ
Halstuch (n)
ハルツトゥーフ

キャップ
Hut (m)
フート

ユニフォーム
Trikot (n)
トリコート

● ファンショップで

フラッグ
Fahne (f)
ファーネ

リュックサック
Rucksack (m)
ルックザック

キーホルダー
Schlüsselanhänger (m)
シュリュッセルアンヘンガー

マフラー
Schal (m)
シャール

いらっしゃいませ。何をお探しですか？
Guten Tag. Kann ich Ihnen helfen?
グーテンターク　カン　イッヒ　イーネン　ヘルフェン♪

ユニフォームはありますか？
Haben Sie Trikot?
ハーベン　ズィー　トリコート♪

小さいのは、ありますか？
Haben Sie das auch kleiner?
ハーベン　ズィー　ダス　アオホ　クライナー♪

スタジアムにはどう行けばよいですか？ **Wie komme ich zum Stadion?** ヴィー　コンメ　イッヒ　ツム　シュターディオン♪	キックオフ時間 **Anstoßzeit** (f) アンシュトースツァイト
バスで **mit dem Bus** ミット　デーム　ブス	電車で **mit dem Zug** ミット　デーム　ツーク

徒歩で
zu Fuß
ツー　フース

★週末の試合日には、チームのユニフォームやマフラーを身に着けたファンでいっぱい

● スタジアムの売店で

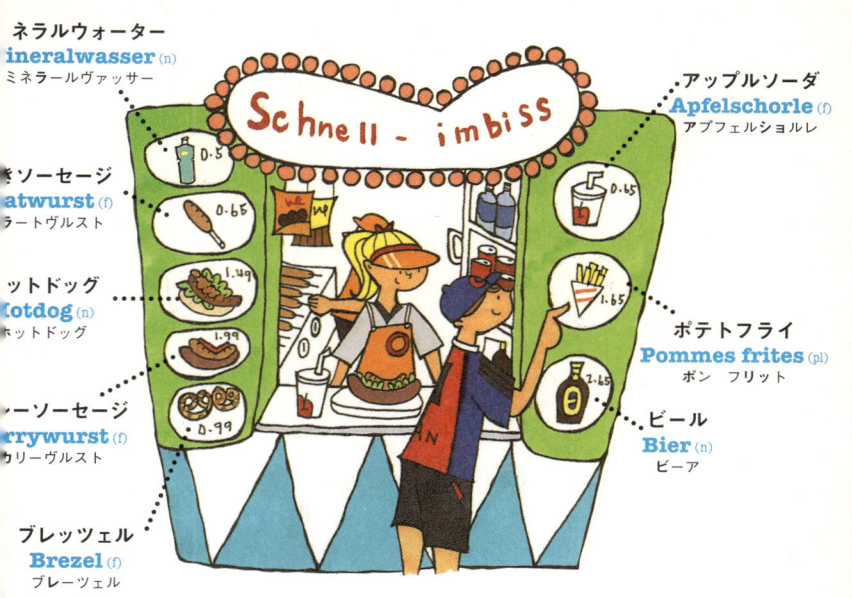

ネラルウォーター
ineralwasser (n)
ミネラールヴァッサー

ソーセージ
atwurst (f)
ラートヴルスト

ットドッグ
otdog (n)
ホットドッグ

ーソーセージ
rrywurst (f)
カリーヴルスト

ブレッツェル
Brezel (f)
ブレーツェル

アップルソーダ
Apfelschorle (f)
アプフェルショルレ

ポテトフライ
Pommes frites (pl)
ポン フリット

ビール
Bier (n)
ビーア

ポテトフライをひとつください
Einmal Pommes, bitte.
アインマル ポン ビッテ

ひとくちコラム
プファンド（カップ代金）に注意！
売店では、飲み物のカップ代として、デポジットを取られる。飲んだ後にカップを返却すると、カップ代金が返金されるシステムだ。

マヨネーズかケチャップを付けますか？
Mit Ketchup oder mit Mayo?
ミット ケチャップ オーダー ミット マヨー↗

ケチャップをください
Ketchup bitte!
ケチャップ ビッテ！

あなたのファンなんです
Ich bin Fan von Ihnen.
イッヒ ビン ファン フォン イーネン

ありがとうございます
Danke schön.
ダンケ シェーン

サインをいただけますか？
Können Sie bitte ein Autogramm schreiben?
ケネン ズィー ビッテ アイン アウトグラム シュライベン↗

★立ち見のブロックStehplatzは熱狂的なファンが陣取るので、「よそもの」は避けたほうがよい

クリスマス・祭り

Weihnachten, Fest
ヴァイナハテン, フェスト

クリスマス市はどこにありますか？
Wo findet der Weihnachtsmarkt statt?
ヴォー フィンデット デアー ヴァイナフツマルクト シュタット♪

市庁舎前広場にあります
Er findet am Rathausplatz statt.
エア フィンデト アム ラートハオスプラッツ シュタット

祝祭日	休暇	祭	記念日
Feiertag (m)	**Ferien** (m)	**Fest** (n)	**Gedenktag** (m)
ファイアータータ	フェーリエン	フェスト	ゲデンクターク

● クリスマス市で

ワッフル屋
Waffelstand (m)
ヴァッフェルシュタント

菓子屋
Süßwarengeschäft (n)
ズュースヴァーレンゲシェフト

飾り
Dekoratio
デコラティオ

電飾
Elektrische Illumination (f)
エレクトリシェ イルミナティオーン

ソーセージ屋
Wurstbude (f)
ヴルストブーデ

手回しオルガン
Handdrehorgel (f)
ハントドレーオルゲル

サンタさんへの郵便箱
Postkasten für den Nikolaus
ポストカステン フュアー デーン ニコラウス

クリスマスツリー
Weihnachtsbaum (m)
ヴァイナハツバウム

ひとくちコラム
ドイツのクリスマス市
クリスマス前、約4週間のアドヴェントの間、ドイツ各地では、市庁舎前広場などでクリスマス市が盛大に開かれる。クリスマス市には、家族連れや仲間同士などで出かけることが多い。ドイツ人は、賑わうクリスマス市で、クリスマス用品を買い込むと同時に、クリスマス前の忙しいひと時を楽しむ。

ワイン屋
Weingeschäft
ヴァインゲシェフト

★クリスマス市は、16世紀に始まったニュルンベルクのクリストキンドルマーケットが有名。

ヴァルプルギスの夜	ネズミ捕り男の野外劇	ラインの火祭り
Walpurgisnacht (f)	**Rattenfängerfreilichtspiel** (n)	**Rhein in Flammen**
ヴァルプルギスナハト	ラッテンフェンガーフライリヒトシュピール	ライン イン フランメン

マイスター・トゥルンク	聖キリアン・ワイン祭	ワイン祭
Meister Trunk	**Hl. Kilian Weinfest** (n)	**Weinfest** (n)
マイスター トルンク	ハイリガー キーリアン ヴァインフェスト	ヴァインフェスト

オクトーバーフェスト	カンシュタッター・フォルクフェスト	カーニバルパレード
Oktoberfest (n)	**Kanstattervolksfest** (m)	**Karnevalsumzug** (m)
オクトーバーフェスト	カンシュタッターフォルクスフェスト	カルネヴァルスウムツーク

クリッペ
Krippe (f)
クリッペ

市庁舎
Rathaus (n)
ラートハオス

観覧車
Riesenrad (n)
リーゼンラート

使える！ワードバンク 祝祭日編

イースター	**Ostern** (n)	オースタン
キリスト昇天祭	**Christi Himmelfahrt** (f)	クリスティー ヒンメルファールト
聖霊降誕祭	**Pfingsten** (m)	プフィングステン
聖体節	**Corpus Christi** (n)	コルプス クリスティー
マリア昇天祭	**Mariahimmelfahrt** (f)	マリア ヒンメルファールト
宗教改革記念日	**Reformationstag** (m)	レフォマルティオーンスターク
クリスマス・イブ	**Heilig Abend** (m)	ハイリヒ アーベント

メリーゴーランド
Karusell (n)
カルセル

馬車
Kutsche (f)
クッチェ

人形劇
Puppentheater (n)
プッペンテアーター

ミニSL
Kleine Dampflokomotive (f)
クライネ ダンプフロコモティーヴェ

★ハルツ地方の村では4月30日の「ヴァルプルギスの夜」に、魔女にちなんだ仮装行列が行われる

劇場へ行こう

Theater
テアーター

当日券はまだありますか?
Haben Sie noch Karten für heute?
ハーベン ズィー ノッホ カルテン フュア ホイテ↗

はい *Ja.* ヤー 
いいえ *Nein* ナイン

立見席はありますか?
Haben Sie noch Stehplätze?
ハーベン ズィー ノッホ シュテープレッツェ↗

大人を2枚ください
Für zwei Personnen, bitte.
フュア ツヴァイ ペルゾーネン ビッテ

服装はどのようにしたらよいですか?
Wie soll ich mich anziehen?
ヴィー ゾル イッヒ ミッヒ アンツィーエン↗

オペラ	コンサート	指定席
Oper (f)	**Konzert** (n)	**Reservierter Platz** (m)
オーパー	コンツェルト	レゼルヴィールター プラッツ

ホール	劇場	交響曲
Saal (m)	**Theater** (n)	**Symphonie** (f)
ザール	テアーター	ズィンフォニー

昼の部(マチネ)	夜の部
Nachmittagsaufführung (f)	**Abendaufführung** (f)
ナッハミッタークスアウフフュールング	アーベントアウフフュールング

切符売り場	前売り券	売り切れ
Theaterkasse (f)	**Vorverkaufskarte** (f)	**ausverkauft**
テアターカッセ	フォアフェアカウフスカルテ	アウスフェアカウフト

★オペラやコンサートのシーズンは、基本的に9月〜翌6月くらいまで

劇場の構造

2階側面ボックス席
Seitenloge im 1.Rang (f)
ザイテンロージェ イム エルスト ラング

天井桟敷
Olymp (m)
オリュンプ

立見席
Stehplatz (m)
シュテープラッツ

2階正面ボックス席
Mittelloge im 1.Rang (f)
ミッテルロージェ イム エルスト ラング

バルコニー席
Balkon (m)
バルコン

1階ボックス席
Parkettlogen (pl)
パルケットージェン

幕（緞帳）
Vorhang (m)
フォアハング

指揮者
Dirigent (m) / **Dirigentin** (f)
ディリゲント／ディリゲンティン

オーケストラ
Orchester (n)
オルケスター

1階椅子席
Parkett (n)
パルケート

スタンディングオベーション	アンコール	拍手
Stehende Ovationen (f)	**Zugabe** (f)	**Applaus** (m)
シュテンデ オヴァツィオーネン	ツーガーベ	アプラウス

私の席に案内してくださいますか？	歓声
Zeigen Sie mir bitte meinen Platz?	**Jubel** (m)
ツァイゲン ズィー ミア ビッテ マイネン プラッツ♪	ユーベル

プログラムはどこで売っていますか？
Wo kann man das Programm kaufen?
ヴォー カン マン ダス プログラム カウフェン♪

使える！ワードバンク　劇場編

ミュージカル	**Musical** (n) ミューズィカル	演奏家	**Spieler** (in) シュピーラー (リン)
バレエ	**Ballett** (n) バレット	歌手	**Sänger** (in) ゼンガー (リン)
演劇	**Theater** (n) テアーター	作曲家	**Komponist** (en)
ポップス	**Pop Musik** (f) ポップ ムジーク		コムポニスト／コムポニステン
ロック	**Rock** (m) ロック	男優	**Schauspieler** シャウシュピーラー
ジャズ	**Jazz** (m) ジャズ	女優	**Schauspielerin** シャウシュピーレリン
民謡	**Volksmusik** (f) フォルクスムズィーク	主役	**Hauptrolle** (f) ハウプトロレ

★劇場に到着したら、大きな荷物とコートは、クロークGarderobeに預けよう

建築・文学

Architektur, Literatur
アーヒテクトゥーア, リタラトゥーア

ゴシック様式の有名な建築物は何ですか？
Was für berühmte Bauwerke, in gotischen Stil gibt es?
ヴァス フューア ベリュームテ バウヴェルケ イン ゴーティシェン シュティール ギプト エス

ケルン大聖堂です
Das ist der Kölner Dom.
ダス イスト デアー ケルナー ドーム

塔の上に登れますか？
Kann ich auf den Turm steigen?
カン イッヒ アウフ デン トゥルム シュタイゲン

はい、登れます
Ja, Sie können auf den Turm besteigen.
ヤー ズィー ケネン アウフ デン トゥルム ベシュタイゲン

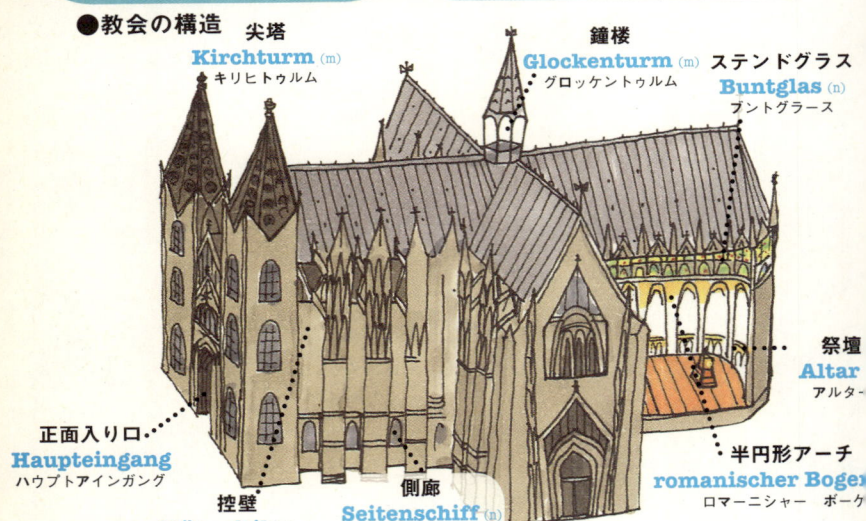

● 教会の構造

- 尖塔 **Kirchturm** (m) キルヒトゥルム
- 鐘楼 **Glockenturm** グロッケントゥルム
- ステンドグラス **Buntglas** (n) ブントグラース
- 祭壇 **Altar** アルター
- 半円形アーチ **romanischer Bogen** ロマーニシャー ボーゲン
- 正面入り口 **Haupteingang** ハウプトアインガング
- 控壁 **Stützpfeiler** (m) シュテュッツプファイラー
- 側廊 **Seitenschiff** (n) ザイテンシフ

ゴシック様式	ロマネスク様式	バロック様式
Gotik (f)	**Romanik** (f)	**Barockstil** (m)
ゴーティク	ロマニク	バロックシュティール

ロココ様式	ユーゲント様式	バウハウス
Rokokostil (m)	**Jugendstil** (m)	**Bauhaus** (n)
ロココシュティール	ユーゲントシュティール	バウハウス

★ロマンティック街道の町の教会では、リーメンシュナイダーの彫刻をお見逃しなく

私はグリム兄弟の作品に興味があります
Ich bin interessiert an den Werken von Brüder Grimm.
イッヒ ビン インテレスィールト アン デン ヴェルケン フォン ブリューダー グリム

ゲーテ
Goethe
ゲーテ

シラー
Schiller
シラー

ハイネ
Heinrich Heine
ハインリヒ ハイネ

ファウスト
Faust
ファウスト

ミヒャエル・エンデ
Michael Ende
ミヒャエル エンデ

童話
Märchen (n)
メルヒェン

『はてしない物語』(エンデ作)
"Die unendliche Geschichte"
ディー ウンエンドリッヒェ ゲシヒテ

ハーメルンのネズミ捕り男
Der Rattenfänger von Hameln
デアー ラッテンフェンガー フォン ハーメルン

赤ずきん
Rotkäppchen
ロートケプヒェン

いばら姫
Dornröschen
ドルンレースヒェン

ラプンツェル
Rapunzel
ラプンツェル

ブレーメンの音楽隊
Die Bremer Musikanten
ディー ブレーマー ムーズィカンテン

詩人
Dichter (m)
ディヒター

小説家
Schriftsteller (m)
シュリフトシュテッラー

ヘルマン・ヘッセ
Hermann Hesse
ヘルマン ヘッセ

『ベルリン天使の詩』(映画)
"Der Himmel über Berlin"
デア ヒンメル ユーバー ベルリン

使える！ワードバンク 〈文学・映画編〉

- 児童文学 **Kinderliteratur** (f) キンダーリタラトゥーア
- ケストナー **Erich Kästner** エーリッヒ ケストナー
- 『ふたりのロッテ』**"Das doppelte Lottchen"** ダス ドッペルテ ロットヒェン
- 劇作家 **Bühnenautor** (m) ビューネンアウトーア
- トーマス・マン **Thomas Mann** トーマス マン
- 『ヴェニスに死す』**"Der Tod in Venedig"** デアー トート イン ヴェネーディヒ
- ニーチェ **Friedrich Wilhelm Nietzsche** フリードリヒ ヴィルヘルム ニーチェ
- 『ツァラトゥストラはかく語りき』**"Also sprach Zarathustra"** アルゾー シュプラッハ ツァラトゥストゥラ
- 映画 **Kino** (n) キーノ
- 『名もなきアフリカの地で』**"Nirgendwo in Afrika"** ニルゲンツヴォー イン アフリカ

★毎年2月に開催されるベルリン国際映画祭は、日本でもおなじみ

クアハウス・カジノ

Kurhaus, Kasino
クーアハウス, カジーノ

この近くにクアハウスはありますか？
Gibt es hier in der Nähe ein Kurhaus?
ギープト エス ヒアー イン デア ネーエ アイン クーアハオス♪

はい。カラカラテルメがおすすめです
Ja, wir empfehlen Ihnen die Caracalla-Therme.
ヤー ヴィーア エムプフェーレン イーネン ディー カラカラテルメ

どのような効果がありますか？
Welche Wirkung kann man erwarten?
ヴェルヒェ ヴィルクング カン マン エアヴァルテン♪

どのくらい時間がかかりますか？
Wie lange dauert es?
ヴィー ランゲ ダウアート エス♪

敏感肌です
Meine Haut ist empfindlich.
マイネ ハウト イスト エムプフィントリヒ

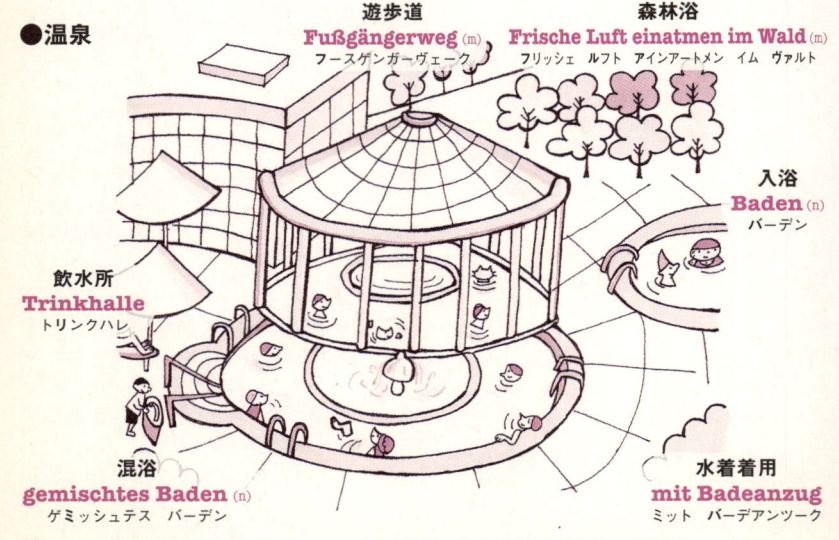

ひとくちコラム

クアハウスって？
もともとは王侯貴族の療養地だったクアハウス。医療目的だけでなく、カジノや劇場など、心身ともにリラックスする場所として造られたのが始まり。

● 温泉

- 遊歩道 **Fußgängerweg** (m) フースゲンガーヴェーク
- 森林浴 **Frische Luft einatmen im Wald** (m) フリッシェ ルフト アインアートメン イム ヴァルト
- 入浴 **Baden** (n) バーデン
- 飲水所 **Trinkhalle** トリンクハレ
- 混浴 **gemischtes Baden** (n) ゲミッシュテス バーデン
- 水着着用 **mit Badeanzug** ミット バーデアンツーク

★日本と同様、温泉天国ドイツ。プールやジャクジーなどは基本的に水着着用

チップはどこで替えられますか？
Wo kann ich Jetons bekommen?
ヴォー カン イッヒ ジェトーンス ベコメン↗

あちらです
Dort drüben.
ドルト ドリューベン

50ユーロ分のチップをください
Ich hätte gern Jetons, für fünfzig Euro.
イッヒ ヘッテ ゲルン ジェトーンス フュア フュンフツィヒ オイロ

どんなゲームができますか？
Was für Spiele gibt es?
ヴァス フュア シュピーレ ギープト エス↗

ルーレット	ブラックジャック
Roulette (n)	**Blackjack** (n)
ルレッテ	ブラックジャック

ポーカー	バカラ	ここに賭けます
Poker (n)	**Bakkarat** (n)	**Ich setze auf diese Zahl.**
ポーカー	バカラ	イッヒ ゼッツェ アウフ ディーゼ ツァール

続けます	降ります	（このチップを）現金にしてください
Ich spiele weiter.	**Ich höre auf.**	**Bargeld, bitte.**
イッヒ シュピーレ ヴァイター	イッヒ ヘーレ アウフ	バールゲルト ビッテ

ディーラー	賭け金
Spielleiter (m)	**Wetteinsatz** (m)
シュピールライター	ヴェットアインザッツ

ひとくちコラム
カジノ
ドイツでは、カジノはクアハウスでよく見かけられる。ルーレットやポーカー、スロットマシンやバカラなど、おなじみのゲームが楽しめる。

使える！ワードバンク 〈クアハウス編〉

ローマン・アイリッシュバス	**Roman-Irishbus** (m)	ローマンイーリッシュブス
ジャクジー	**Jacuzzi** (m)	ジャクスィ
打たせ湯	**Wasserfall für Schultermassage** (m)	ヴァッサーファル フュアー シュルターマッサージェ
源泉	**Quelle** (f)	クヴェレ
大浴場	**Therme** (f)	テルメ
温泉浴	**Thermalbad** (n)	テルマールバート
マッサージ	**Massage** (f)	マサージェ
アロマテラピー	**Aromatherapie** (f)	アロマテラピー
スロットマシン	**Spielautomat** (m)	シュピールアウトマート
サイコロ	**Würfel** (m)	ヴュルフェル
トランプ	**Spielkarten** (pl)	シュピールカルテン
会計	**Kasse** (f)	カッセ

★かの文豪ドストエフスキーもカジノに通いつめ、名作『賭博者』を書き上げたという

伝えよう

日本人は時間に正確だといわれますが、ドイツ人もなかなかどうして。ほんのわずかな差が思いがけない結果に？

時間に正確

本当は昨日までの日付だけど…

1日くらい平気よね

ドイツでは…

くぴっ

牛乳の賞味期限も

ぶっ

ヨーグルトになってる

かなり正確!

恐るべし、ドイツの牛乳

とっても正確

ドイツの電車は日本に比べると、しょっちゅう遅れます

もし長距離列車が1時間以上遅れると

わーい

切符代20%が返ってきます（遅れた車内で車掌に文句を言うとクーポンをくれます）

あ、55分遅れだ

だいたい1時間ね

でも時間に正確なので

1時間じゃないからダメ

え？

5分足りなくても相手にされません

数字・序数

Zahl, Ordinalzahl
ツァール, オーディナールツァール

		0	0	**null** ヌル
		1	1	**eins** アインス
0.1	**null komma eins** ヌル コムマ アインス	2	2	**zwei** ツヴァイ
十	**zehn** ツェーン	3	3	**drei** ドライ
百	**hundert** フンダート	4	4	**vier** フィーア
千	**tausend** タウゼント	5	5	**fünf** フュンフ
万	**zehntausend** ツェーンタウゼント	6	6	**sechs** ゼックス
十万	**hunderttausend** フンダートタウゼント	7	7	**sieben** ズィーベン
百万	**eine Million** アイネ ミリオーン	8	8	**acht** アハト
億	**hundert Millionen** フンダートミリオーネン	9	9	**neun** ノイン

★欧米人の書く数字は、日本人には解読しにくい。見る機会があったら覚えておこう

11 elf エルフ	**4ユーロ30セント**	**Vier Euro und dreißig Cent** フィーア オイロ ウントゥ ドライスィヒ ツェント
12 zwölf ツヴェルフ	**2人** zwei Personen ツヴァイ ペルゾーネン	**3番目の** dritte ドリッテ
13 dreizehn ドライツェーン	**1階** Erdgeschoss (n) エーアトゲショス	**4番目の** vierte フィーアテ
36 sechsunddreißig ゼックスウントドライスィヒ	**2階** Erster Stock (m) エーアスター シュトック	**100g** einhundert Gramm (n) アイン フンダート グラム
¼(4分の1) ein viertel アイン フィアテル	**3階** Zweiter Stock (m) ツヴァイター シュトック	**2kg** zwei Kilogramm (n) ツヴァイ キログラム
½(半分) ein halb アイン ハルプ	**1番目の** erste エーアステ	**1リットル** ein Liter (n) アイン リター
何個? Wieviele Stücke? ヴィーフィーレ シュトゥッケ♪	**2番目の** zweite ツヴァイテ	**4m** vier Meter (n) フィア メーター
何本? Wieviele Rollen? ヴィーフィーレ ロレン♪	**何パーセント?**	**Wieviel Prozent?** ヴィーフィール プロツェント♪
何枚? Wieviele Seiten? ヴィーフィーレ ザイテン♪	**いくらですか?**	**Wieviel kostet das?** ヴィーフィール コステツト ダス♪
何回? Wieviel Mal? ヴィーフィール マール♪	**おいくつですか?**	**Wie alt sind Sie?** ヴィー アルト ズィント ズィー♪

★ドイツ語では、21からは、1+20（einundzwanzig）という数え方をする

年月日・曜日

Datum, Wochentag
ダーテュム, ヴォッヘンタ-ク

いつドイツに来ましたか？
Wann sind Sie nach Deutschland gekommen?
ヴァン ズィント ズィー ナーハ ドイチュラント ゲコメン↗

3月20日（月曜）に来ました
Ich kam am 20.März(Montag) an.
イッヒ カーム アム ツヴァンツィヒステン メルツ（モンターク）アン

いつ日本に出発しますか？
Wann fliegen Sie nach Japan ?
ヴァン フリーゲン ズィー ナーハ ヤーパン↗

6月30日です
Am 30.Juni.
アム ドライスィヒステン ユーニ

1月 **Januar**(m) ヤヌアール	2月 **Februar**(m) フェーブルアール	3月 **März**(m) メルツ	4月 **April**(m) アプリル
5月 **Mai**(m) マイ	6月 **Juni**(m) ユーニ	7月 **Juli**(m) ユーリ	8月 **August**(m) アウグスト
9月 **September**(m) ゼプテンバー	10月 **Oktober**(m) オクトーバー	11月 **November**(m) ノヴェンバー	12月 **Dezember**(m) デツェンバー
月曜日 **Montag**(m) モーンターク	火曜日 **Dienstag**(m) ディーンスターク	水曜日 **Mittwoch**(m) ミットヴォッホ	木曜日 **Donnerstag**(m) ドナースターク
金曜日 **Freitag**(m) フライターク	土曜日 **Samstag**(m) ザムスターク	日曜日 **Sonntag**(m) ゾンターク	祝日 **Feiertag**(m) ファイヤーターク

1 2 3 4 5 6 7 8 9 10 11 12 13 14 15

春 **Frühling** (m) フリューリング	夏 **Sommer** (m) ゾンマー	秋 **Herbst** (m) ヘルプスト	冬 **Winter** (m) ヴィンター
昨日 **gestern** ゲスターン	今日 **heute** ホイテ	明日 **morgen** モルゲン	先週 **letzte Woche** (f) レッツテ ヴォッヘ
今週 **diese Woche** (f) ディーゼ ヴォッヘ	来週 **nächste Woche** (f) ネーヒステ ヴォッヘ	去年 **letztes Jahr** (n) レッツテス ヤール	今年 **dieses Jahr** (n) ディーゼス ヤール
来年 **nächstes Jahr** (n) ネーヒステス ヤール	正月 **Neujahr** (n) ノイヤール	平日 **Werktag** (m) ヴェルクターク	週末 **Wochenende** (n) ヴォッヘンエンデ
何日間？ **Wieviele Tage?** ヴィーフィーレ ターゲ↗	何週間？ **Wieviele Wochen?** ヴィーフィーレ ヴォッヘン↗	何カ月間？ **Wieviele Monate?** ヴィーフィーレ モーナテ↗	何年間？ **Wieviele Jahren?** ヴィーフィーレ ヤーレン↗
2日間 **zwei Tage** (pl) ツヴァイ ターゲ	3週間 **drei Wochen** (pl) ドライ ヴォッヘン	4カ月間 **vier Monate** (pl) フィアー モーナテ	7年間 **sieben Jahre** (pl) ズィーベン ヤーレ

世紀 **Jahrhundert** (n) ヤールフンデルト	10年 **Jahrzehnt** (n) ヤールツェーント	1000年 **Jahrtausend** (n) ヤールタウゼント

季節 **Jahreszeit** (f) ヤーレスツァイト	2006年 **zweitauzendsechs** ツヴァイタウゼントゼックス	毎月 **monatlich** モーナトリッヒ

時間・一日

Uhr, Ganzen Tag
ウアー, ガンツェン ターク

今、何時ですか?
Wie spät ist es jetzt?
ヴィー シュペート イスト エス イェッツト↗

ベルリンには何時に着きますか?
Wann kommen wir in Berlin an?
ヴァン コメン ヴィア イン ベルリーン アン↗

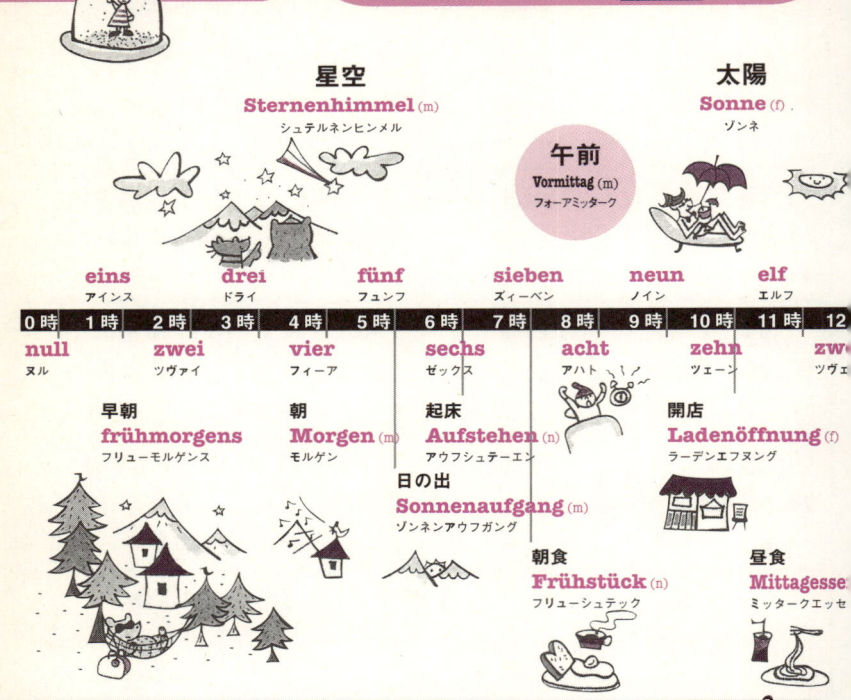

星空
Sternenhimmel (m)
シュテルネンヒンメル

太陽
Sonne (f)
ゾンネ

午前
Vormittag (m)
フォーアミッターク

0時	1時	2時	3時	4時	5時	6時	7時	8時	9時	10時	11時	12
	eins アインス		**drei** ドライ		**fünf** フュンフ		**sieben** ズィーベン		**neun** ノイン		**elf** エルフ	
null ヌル		**zwei** ツヴァイ		**vier** フィーア		**sechs** ゼックス		**acht** アハト		**zehn** ツェーン		zw... ツヴェ...

早朝
frühmorgens
フリューモルゲンス

朝
Morgen (m)
モルゲン

起床
Aufstehen (n)
アウフシュテーエン

開店
Ladenöffnung (f)
ラーデンエフヌング

日の出
Sonnenaufgang (m)
ゾンネンアウフガング

朝食
Frühstück (n)
フリューシュテック

昼食
Mittagesse...
ミッタークエッセ...

ミュンヘン駅まで何分かかりますか?
Wie lange dauert es bis nach München?
ヴィー ランゲ ダウアート エス ビス ナーハ ミュンヘン↗

35分間です
Es dauert fünf und dreißig Minuten.
エス ダウアート フュンフ ウント ドライスィヒ ミヌーテン

何時間かかりますか?
Wie lange dauert es?
ヴィー ランゲ ダウアート エス↗

2時38分です
Es ist Zwei Uhr und acht und dreißig.
エス イスト ツヴァイ ウアー ウント アフト ウント ドライスィヒ

4時ごろです
Es ist um vier Uhr.
エス イスト ウム フィアー ウアー

5分 fünf Minuten フュンフ ミヌーテン
viertel nach ～ フィアテル ナーハ
15分
45分 **viertel vor ～** フィアテル フォア
halb ～ ハルプ
30分(半)

夕焼け **Abendrot**(n) アーベントロート

午後 **Nachtmittag**(m) ナーハミッターク

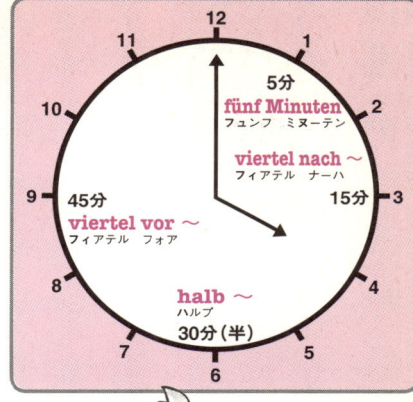

月 **Mond**(m) モント

	dreizehn	fünfzehn	siebzehn	neunzehn	ein und zwanzig	drei und zwanzig
	ドライツェーン	フュンフツェーン	ズィープツェーン	ノインツェーン	アインウントツヴァンツィヒ	ドライウントツヴァンツィヒ
13時	14時	15時	16時	17時	18時	19時	20時	21時	22時	23時	24時
	vierzehn	sechzehn	achtzehn	zwanzig	zwei und zwanzig
	フィアツェーン	ゼヒツェーン	アハトツェーン	ツヴァンツィヒ	ツヴァイウントツヴァンツィヒ
					vier und zwanzig
					フィアウントツヴァンツィヒ

昼 **Tag**(m) ターク

夕方 **Abend**(m) アーベント

閉店 **Ladenschließung**(f) ラーデンシュリースング

就寝 **Zubettgehen**(n) ツーベットゲーエン

おやつ **Nachmittagskaffee**(m) ナーハミッタークスカフェー

日没 **Sonnenuntergang**(m) ゾンネンウンターガング

夜 **Nacht**(f) ナハト

夕食 **Abendessen**(n) アーベントエッセン

深夜 **Mitternacht**(f) ミッターナハト

6時に起こしてください
Bitte, wecken Sie mich um sechs Uhr.
ビッテ ヴェッケン ズィー ミッヒ ウム ゼックス ウアー

11時までに帰ります
Ich komme bis elf Uhr zurück.
イッヒ コメ ビス エルフ ウアー ツリュック

使える！ワードバンク 時間編

1時半です	Es ist halb eins.	エス イスト ハルプ アインス
ちょうど3時	Es ist gerade drei Uhr	エス イスト ゲラーデ ドライ ウアー
午前7時	sieben Uhr Vormittags (m)	ズィーベン ウアー フォーミッタークス
午後7時	sieben Uhr Nachmittags (m)	ズィーベン ウアー ナーハミッタークス
1分間／2分間	eine Minute(f)／zwei Minuten(f)	アイネ ミヌーテ／ツヴァイ ミヌーテン

★サマータイムはSommerzeit (f)（ゾマーツァイト）と言う

家族・友だち・性格

Familie, Freunde, Charakter
ファミーリエ, フロインデ, カラクター

あなたには、兄弟がいますか？
Haben Sie Geschwister?
ハーベン ズィー ゲシュヴィスター♪

はい、兄弟が一人います
Ja, Ich habe einen Bruder.
ヤー イッヒ ハーベ アイネン ブルーダー

祖父 **Großvater**(m) グロースファーター	私の家族 **Meine Familie**(f) マイネ ファミーリエ	祖母 **Großmutter**(f) グロースムッター	
おじさん **Onkel**(m) オンケル	父 **Vater**(m) ファーター	母 **Mutter**(f) ムッター	おばさん **Tante**(f) タンテ
兄弟 **Bruder**(m) ブルーダー	私 **ich** イッヒ		姉妹 **Schwester**(f) シュヴェスター
息子 **Sohn**(m) ゾーン	夫 **Ehemann**(m) エーエマン	妻 **Ehefrau**(f) エーエフラウ	娘 **Tochter**(f) トホター
子供 **Kind**(n) キント	両親 **Eltern**(f) エルターン	夫婦 **Ehepaar**(n) エーエパー	孫 **Enkelkinder**(pl) エンケルキンダー
男性のいとこ **Cousin**(m) コズィン	女性のいとこ **Cousine**(f) コズィーネ	少年 **Junge**(m) ユンゲ	男の人 **Mann**(m) マン
甥 **Neffe**(m) ネッフェ	姪 **Nichte**(f) ニヒテ	少女 **Mädchen**(n) メートヒェン	女の人 **Frau**(f) フラウ

男性の友だち **Freund**(m) フロイント	女性の友だち **Freundin**(f) フロインディン	あなた **Sie** ズィー	君 **du** デュー
恋人 **Geliebte**(m,f) ゲリープテ	同級生 **Mitschüler**(m) ミットシューラー	同僚 **Kollege**(m) コレーゲ	赤ちゃん **Baby**(n) ベービー
先輩 **Ältere**(m) エルテレ	後輩 **Jüngere**(m) ユンゲレ	親類 **Verwandte**(m) フェアヴァンテ	

あなたは、魅力的です
Sie sind charmant.
ズィー ズィント シャルマント

あなたのお名前は?
Wie heißen Sie?
ヴィー ハイセン ズィー

私の名前は、トニオです
Ich heiße Tonio.
イッヒ ハイセ トニオ

使える！ワードバンク 〈人の性格編〉

暗い	schwermütig	シュヴェアミューティヒ
明るい	hell	ヘル
優しい	nett	ネット
厳しい	streng	シュトゥレンク
下品な	ordinär	オアディネアー
上品な	gepflegt/elegant	ゲプフレクト/エレガント
のんびりした	unbefangen	ウンベファンゲン
短気な	ungeduldig	ウンゲドゥルディヒ
臆病な	ängstlich	エンクストリヒ
楽しい	fröhlich	フレーリヒ
親切な	nett	ネット
賢い	klug	クルーク

♡ 幸せな **glücklich** グリュックリヒ	満足な **zufrieden** ツーフリーデン	うれしい **froh** フロー	怒っている **verärgert** フェアエルゲルト
不幸な **unglücklich** ウングリュックリヒ	不満な **unzufrieden** ウンツーフリーデン	悲しい **traurig** トラウリヒ	驚いた **überrascht** ユーバーラッシュト
誠実な **ehrlich** エーアリヒ	面白い **lustig** ルスティヒ	おかしい **komisch** コーミッシュ	けちな **geizig** ガイツィヒ

趣味・職業

Hobby, Beruf
ホビー、ベルーフ

あなたはどんな趣味を持っていますか？
Was für ein Hobby haben Sie?
ヴァス フュアー アイン ホビー ハーベン ズィー↗

楽器演奏です。あなたは？
Ich spiele ein Musikinstrument. Und Sie?
イッヒ シュピーレ アイン ムズィークインストロメント ウント ズィー↗

音楽鑑賞
Musik hören
ムズィーク ヘーレン

私は、カラオケが好きです
Ich mache gerne Karaoke.
イッヒ マッヘ ゲルネ カラオーケ

映画鑑賞
Film anschauen
フィルム アンシャウエン

私は、スキーが得意です
Ich kann gut Ski fahren.
イッヒ カン グート シー ファーレン

旅行
Reise (f)
ライゼ

読書
Lesen (n)
レーゼン

トランプ
Spielkarte (f)
シュピールカルテ

スポーツ観戦
Sport besichtigen
シュポルト ベズィヒティゲン

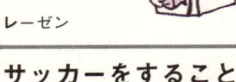

サッカーをすること
Fußball spielen
フースバル シュピーレン

私は文学を学んでいます
Ich studiere Literatur.
イッヒ シュトゥディーレ リタラトゥア

料理
Speise (f)
シュパイゼ

法律
Gesetz (n)
ゲゼッツ

経済
Wirtschaft (f)
ヴィルトシャフト

歴史
Geschichte (f)
ゲシヒテ

工学
Maschinenbau (m)
マシーネンバウ

心理学
Psychologie (f)
プスィヒョロギー

医学
Medizin (f)
メディツィン

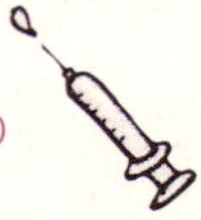

コンピュータ
Computer (m)
コンピューター

★趣味の話なら、ボディランゲージを交えてコミュニケーションが楽しめる

私はアパレルの会社に勤めています
Ich arbeite in einer Firma, _Kleider_ herstellt.
イッヒ アルバイテ イン アイネアー フィルマー クライダー ヘアーシュテルト

私は建設の仕事をしています
Ich arbeite in der _Baugewerbe_.
イッヒ アルバイテ イン デアー バウゲヴェルベ

農業
Landwirtschaft (f)
ラントヴィルトシャフト

漁業
Fischerei (f)
フィッシャライ

流通
Logistik (f)
ロギスティック

食品
Lebensmittelindustrie (f)
レーベンスミッテルインドストリー

教師
Lehrer (-in) (m, f)
レーラー (レリン)

私はフォトグラファーです
Ich bin Fotograf (-in).
イッヒ ビン フォトグラーフ (フィン)

マスコミ
Medienbranche (f)
メーディエンブランシェ

デザイナー
Designer (-in) (m, f)
デザイナー (リン)

製造業
Herstellungsindustrie (m)
ヘアシュテルングスインドストリー

エンジニア
Ingenieur (-rin) (m, f)
インジェニーア (リン)

使える！ワードバンク 趣味・職業編

テニス	**Tennis** (n) テニス		サイクリング	**Radtour** (f) ラートトゥーア
ゴルフ	**Golf** (n) ゴルフ		ガーデニング	**Gartenarbeit** (f) ガーテンアルバイト
野球	**Baseball** (m) ベースボール		政治	**Politik** (f) ポリティーク
スキー	**Ski fahren** (m) シー ファーレン		哲学	**Philosophie** (f) フィロゾフィー
ダイビング	**Tauchen** (n) タウヘン		貿易	**Handel** (m) ハンデル
サーフィン	**Surfen** (n) ズルフェン		イラストレーター	**Illustrator** (m) イルストラートアー
ハイキング	**Wandern** (n) ヴァンデルン		アルバイト	**Teilzeitarbeit** (f) タイルツァイトアルバイト

自然・動植物

Natur, Tiere, Pflanzen
ナトゥーア ティーレ ウント プフランツェン

今日はいいお天気ですね
Heute ist das Wetter gut.
ホイテ イスト ダス ヴェッター グート

涼しくって気持ちいいですね
Heute ist es kühl und angenehm.
ホイテ イスト エス キュール ウント アンゲネーム

あの河は何という名前ですか？
Wie heißt dieser Fluss?
ヴィー ハイスト ディーザー フルス♪

ライン河です
Es ist der Rhein.
エス イスト デア ライン

● 自然と動植物

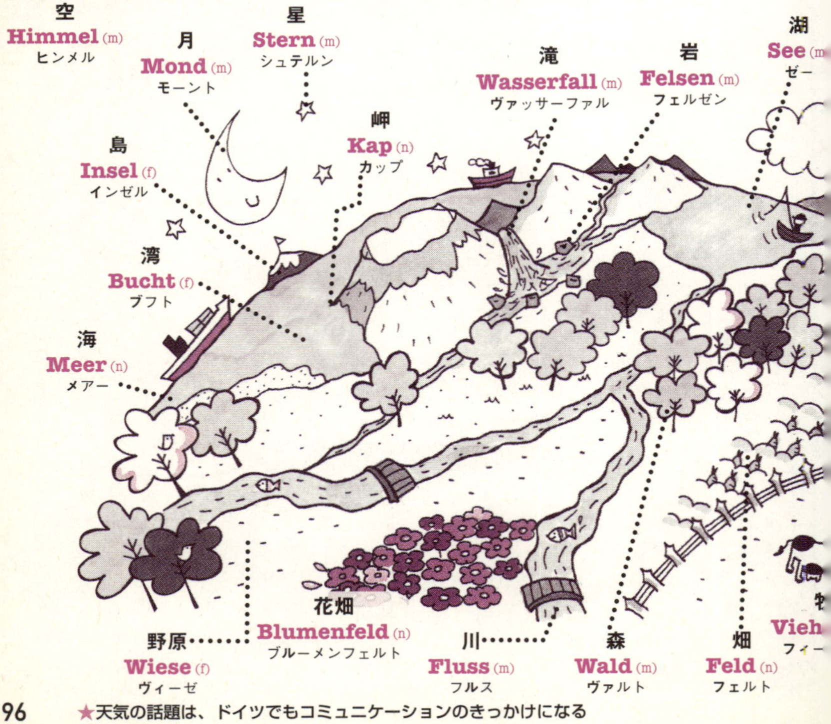

- 空 **Himmel** (m) ヒンメル
- 月 **Mond** (m) モーント
- 星 **Stern** (m) シュテルン
- 滝 **Wasserfall** (m) ヴァッサーファル
- 岩 **Felsen** (m) フェルゼン
- 湖 **See** (m) ゼー
- 岬 **Kap** (n) カップ
- 島 **Insel** (f) インゼル
- 湾 **Bucht** (f) ブフト
- 海 **Meer** (n) メアー
- 野原 **Wiese** (f) ヴィーゼ
- 花畑 **Blumenfeld** (n) ブルーメンフェルト
- 川 **Fluss** (m) フルス
- 森 **Wald** (m) ヴァルト
- 畑 **Feld** (n) フェルト
- 家畜 **Vieh** フィー

★ 天気の話題は、ドイツでもコミュニケーションのきっかけになる

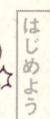

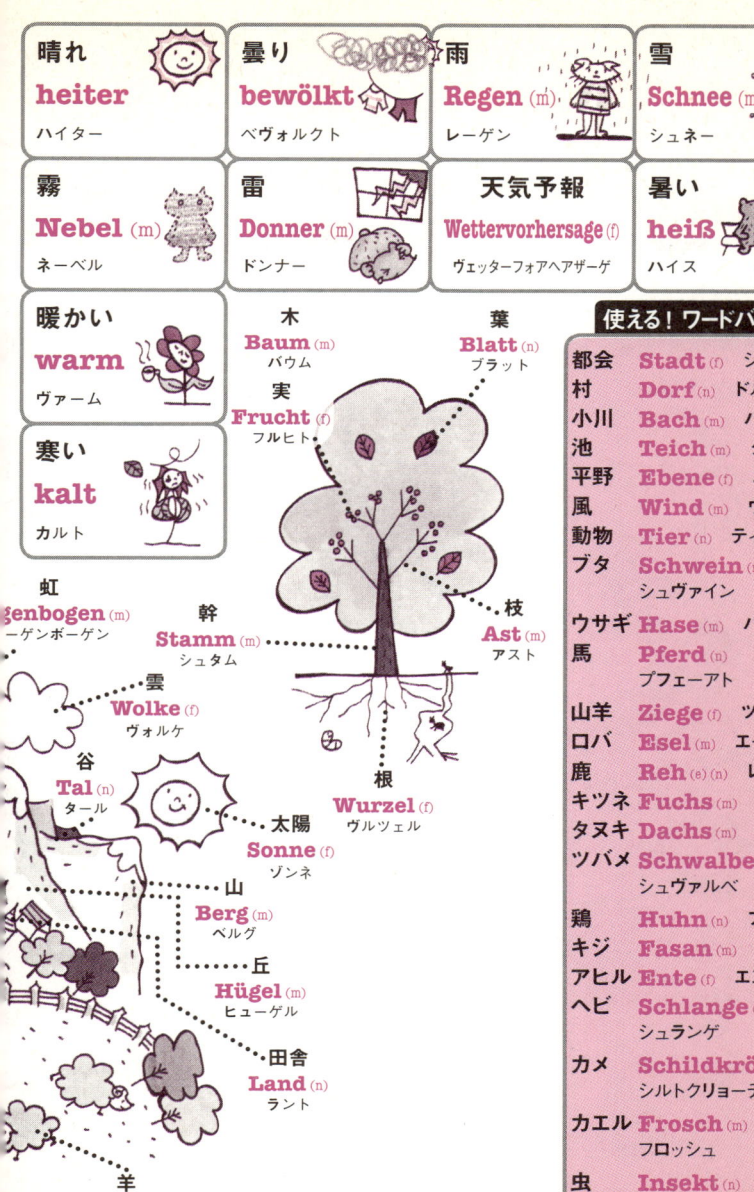

晴れ	**heiter**	ハイター
曇り	**bewölkt**	ベヴォルクト
雨	**Regen** (m)	レーゲン
雪	**Schnee** (m)	シュネー
霧	**Nebel** (m)	ネーベル
雷	**Donner** (m)	ドンナー
天気予報	**Wettervorhersage** (f)	ヴェッターフォアヘアザーゲ
暑い	**heiß**	ハイス
暖かい	**warm**	ヴァーム
寒い	**kalt**	カルト

木	**Baum** (m)	バウム
葉	**Blatt** (n)	ブラット
実	**Frucht** (f)	フルヒト
虹	**Regenbogen** (m)	レーゲンボーゲン
幹	**Stamm** (m)	シュタム
枝	**Ast** (m)	アスト
雲	**Wolke** (f)	ヴォルケ
谷	**Tal** (n)	タール
根	**Wurzel** (f)	ヴルツェル
太陽	**Sonne** (f)	ゾンネ
山	**Berg** (m)	ベルグ
丘	**Hügel** (m)	ヒューゲル
田舎	**Land** (n)	ラント
羊	**Schaf** (n)	シャーフ

使える！ワードバンク

都会	**Stadt** (f)	シュタット
村	**Dorf** (n)	ドルフ
小川	**Bach** (m)	バッハ
池	**Teich** (m)	タイヒ
平野	**Ebene** (f)	エーベネ
風	**Wind** (m)	ヴィント
動物	**Tier** (n)	ティーア
ブタ	**Schwein** (n)	シュヴァイン
ウサギ	**Hase** (m)	ハーゼ
馬	**Pferd** (n)	プフェーアト
山羊	**Ziege** (f)	ツィーゲ
ロバ	**Esel** (m)	エーゼル
鹿	**Reh** (s) (n)	レー（エ）
キツネ	**Fuchs** (m)	フックス
タヌキ	**Dachs** (m)	ダクス
ツバメ	**Schwalbe** (f)	シュヴァルベ
鶏	**Huhn** (n)	フーン
キジ	**Fasan** (m)	ファザーン
アヒル	**Ente** (f)	エンテ
ヘビ	**Schlange** (f)	シュランゲ
カメ	**Schildkröte** (f)	シルトクリョーテ
カエル	**Frosch** (m)	フロッシュ
虫	**Insekt** (n)	インゼクト
ミツバチ	**Biene** (f)	ビーネ

暮らし・家

Leben, Haus
レーベン, ハオス

すばらしい家ですね
Sie haben ein schönes Haus.
ズィー ハーベン アイン シェーネス ハオス

ありがとう
Danke schön.
ダンケ シェーン

● 家の造り

屋根
Dach (n)
ダッハ

（部屋の）壁
Mauer (f), **Wand** (f)
マウアー、ヴァント

ガレージ
Garage (f)
ガラージェ

カラス
Krähe (f)
クレーエ

玄関
Eingang (m)
アインガング

門
Tor (n)
トーア

郵便受け
Briefkasten (m)
ブリーフカステン

ダイニング
Esszimmer (n)
エスツィマー

キッチン
Küche (f)
キュッヘ

リビング
Wohnzimmer (n)
ヴォーンツィンマー

スズメ
Spatz (m)
シュパッツ

ツバメ
Schwalbe (f)
シュヴァルベ

バルコニー
Balkon (n)
バルコーン

犬
Hund (m)
フント

猫
Katze (f)
カッツェ

寝室
Schlafzimmer (n)
シュラーフツィンマー

廊下
Flur (m)
フルーア

芝生
Wiese (f)
ヴィーゼ

子供部屋
Kinderzimmer (n)
キンダーツィマー

バスルーム
Badezimmer (n)
バーデツィンマー

★家に招待された場合は、約束の時間より少し遅れていくのが基本的なマナー

今夜、我が家で一緒に食事をしませんか？
Dürfen wir Sie heute abend zu einem Abendessen bei uns zu Hause einladen?
デュルフェン ヴィア ズィー ホイテ アーベント ツー アイネム アーベントエッセン バイ ウンツ ツハウゼ フュアー アインラーデン♪

ありがとう。うかがわせていただきます
Danke, ich nehme das Angebot gerne an.
ダンケ イッヒ ネーメ ダス アンゲボート ゲルネ アン

すみません。別の予定があります
Nein, tut mir leid, ich habe einen anderen Termin.
ナイン テュート ミア ライト イッヒ ハーベ アイネン アンデレン テルミーン

トイレを貸していただけますか
Darf ich die Toilette benutzen?
ダルフ イッヒ ディー トアレッテ ベヌッツェン♪

塀
Zaun (m) ツァウン

樫の木
Eichenbaum (m) アイヒェンバウム

ユリ
Lilie (f) リーリエ

花
Blume (f) ブルーメ

バラ
Rose (f) ローゼ

庭
Garten (m) ガルテン

使える！ワードバンク 〈暮らし編〉

タオル	**Handtuch** (n)	ハントトゥーフ
ティッシュペーパー	**Papiertaschentuch** (n)	パピーアタッシェントゥーフ
テーブル	**Tisch** (m)	ティッシュ
ソファー	**Sofa** (n)	ゾーファ
タンス	**Kommode** (f)	コモーデ
クローゼット	**Schrank** (m)	シュランク
本棚	**Bücherregal** (n)	ブーヒャーレガール
デスク	**Schreibtisch** (m)	シュライプティッシュ
椅子	**Stuhl** (m)	シュトゥール
オーブン	**Backofen** (m)	バックオーフェン
ガスレンジ	**Gasherd** (m)	ガースヘルト
電子レンジ	**Mikrowellenherd** (m)	ミクロヴェレンヘルト
冷蔵庫	**Kühlschrank** (m)	キュールシュランク
洗面台	**Waschbecken** (n)	ヴァッシュベッケン
物置	**Schuppen** (m)	シュッペン
洗濯機	**Waschmaschine** (f)	ヴァッシュマシーネ
掃除機	**Staubsauger** (m)	シュタウプザウガー
ストーブ	**Heizung** (f)	ハイツング
インターホン	**Sprechanlage** (f)	シュプレッヒアンラーゲ
桜	**Kirschbaum** (m)	キルシュバウム

★みやげは必ずしも必要ないが、日本的な小物などは持って行くと喜ばれる

疑問詞・動詞・助動詞

Fragewort, Verb, Hilfsverb
フラーゲヴォルト, ヴェルプ, ヒルフスヴェルプ

今夜、一緒に飲みましょう
Gehen wir heute abend einen trinken.
ゲーヘン ヴィアー ホイテ アーベント アイネン トリンケン♪

いつ、どこへ行けばいいですか？
Wohin soll ich wann kommen?
ヴォーヒン ゾル イッヒ ヴァン コンメン♪

6時にホテルで待っています
Ich werde um 6Uhr im Hotel auf Sie warten.
イッヒ ウェルデ ウム ゼックス ウアー アウフ ズィー イム ホテル ヴァルテン

いつ？
Wann?
ヴァン♪

携帯電話を持っていますか？
Haben Sie ein Handy?
ハーベン ズィー アイン ハンディ♪

お手伝いしましょうか？
Soll ich Ihnen helfen?
ゾル イッヒ イーネン ヘルフェン♪

いくら？
Was kostet das?
ヴァス コステット ダス♪

何のために
Wozu?
ヴォーツー♪

どこで？
Wo?
ヴォー♪

だれが？
Wer?
ヴェーア♪

何（を）？
Was?
ヴァス♪

どうやって？
Wie?
ヴィー♪

なぜ？
Warum?
ヴァルム♪

どこへ？
Wohin ?
ヴィー♪

どのくらい？
Wieviel?
ヴィーフィール♪

タバコを吸ってもいいですか？
Darf ich rauchen?
ダルフ イッヒ ラウヘン♪

はい。我慢する必要はありません
Ja, von mir aus.
ヤー フォン ミア アウス

いいえ。我慢してください
Nein. Bitte nicht.
ナイン ビッテ ニヒト

〜していただけますか？
Könnten Sie bitte 〜
ケンテン ズィー ビッテ〜♪

〜が欲しいのですが？
Ich hätte gerne 〜
イッヒ ヘッテ ゲルネ〜♪

〜したいのですが？
Ich möchte 〜
イッヒ メヒテ〜♪

〜をお願いします
〜, bitte!
〜 ビッテ♪

〜はありますか？
Haben Sie 〜 ?
ハーベン ズィー 〜♪

〜してもいいですか？
Darf ich 〜 ?
ダルフ イッヒ 〜♪

〜しなければなりません
Ich muss 〜
イッヒ ムス〜

〜できますか？
Kann Ich 〜 ?
カン イッヒ〜♪

席を予約する必要がありますか？
Muss ich einen Platz reservieren?
ムス イッヒ アイネン プラッツ レゼルヴィーレン♪

使える！ワードバンク 〈動作編〉

行く	gehen	ゲーエン	見る	sehen	ゼーエン
来る	kommen	コンメン	探す	suchen	ズーヘン
歩く	zu Fuß gehen/laufen	ツー フース ゲーエン／ラウフェン	知る	kennen	ケンネン
乗る	einsteigen	アインシュタイゲン	買う	einkaufen	アインカウフェン
座る	sich setzen	ズィッヒ ゼッツェン	話す	sprechen	シュプレッヒェン
確認する	bestätigen	ベシュテーティゲン	連絡する	mitteilen	ミットタイレン
泊まる	übernachten	ユーバーナハテン	わかる(理解する)	verstehen	フェアシュテーエン
預ける	aufgeben	アウフゲーベン	教える	lehren	レーレン
食べる	essen	エッセン	書く	aufschreiben	アウフシュライベン
尋ねる	fragen	フラーゲン	入る	eintreten	アイントレーテン
両替する	Geld wechseln	ゲルト ヴェクセルン	はじまる	anfangen	アンファンゲン
			終わる	enden	エンデン

形容詞、感情を伝えよう

Adjektiv Gefühlsausdruck
アドィェクティーフ, ゲフュールス, アウスドルック

ドイツのビールは気に入りましたか？
Gefällt Ihnen das deutsche Bier?
ゲフェルト イーネン ダス ドイチェ ビーア♪

はい、日本のビールよりずっと美味しいです
Ja, es ist viel schmackhafter als das japanische Bier.
ヤー エス イスト フィール シュマックハフター アルス ダス ヤパーニッシェ ビーア

この土地のビールを飲みたいのですが
Ich würde gern ein Bier aus dieser Gegend trinken.
イッヒ ヴュルデ ゲルン アイン ビーア アウス ディーザー ゲーゲント トリンケン

よい／悪い
gut/schlecht
グート／シュレヒト

きれいな／汚い
sauber/schmutzig
ザウバー／シュムッツィヒ

広い／狭い
weit/eng
ヴァイト／エング

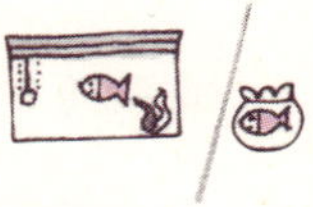

遠い／近い
weit/nah
ヴァイト／ナー

速い／遅い、ゆっくり（速度が）
schnell/langsam
シュネル／ラングザーム

多い／少ない
viel/wenig
フィール／ヴェーニヒ

便利な／不便な
praktisch/unpraktisch
プラクティッシュ／ウンプラクティッシュ

簡単な／難しい
einfach/schwierig
アインファッハ／シュヴィーリッヒ

おもしろい（興味深い）／つまらない
interessant/langweilig
インテレサント／ラングヴァイリヒ

重要な／大したことのない
wichtig/unwichtig
ヴィヒティヒ／ウンヴィヒティヒ

とてもおいしいです
Es ist sehr lecker.
エス イスト ゼァー レッカー

おかわりは、いかがですか？
Wollen Sie noch etwas?
ヴォッレン ズィー ノッホ エトヴァス↗

ありがとう。でも、おなかがいっぱいです
Danke, aber ich habe wirklich genung bekommen.
ダンケ アーバー イッヒ ハーベ ヴィルクリヒ ゲヌーク ベコメン

今日は、どうもありがとう
Ich danke Ihnen herzlich für heute.
イッヒ ダンケ イーネン ヘルツリヒ フュア ホイテ

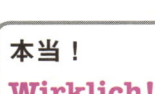

本当！	信じられない！	美しい！
Wirklich!	**Unglaublich!**	**Schön!**
ヴィルクリヒ！	ウングラウブリヒ！	シェーン！

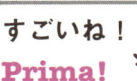

すばらしい！	すごいね！	すてき！
Wunderbar!	**Prima!**	**Phantastisch!**
ヴンダバー！	プリーマ！	ファンタスティッシュ！

残念！	うれしい！	おやまあ!!
Schade!	**Ich freue mich!**	**Oh, je**
シャーデ！	イッヒ フロイエ ミヒ	オー イエーツ！

使える！ワードバンク　形容詞編

まずい	schmeckt nicht	シュメクト ニヒト	早い	früh	フリュー
長い	lang	ラング	遅い	spät	シュペート
短い	kurz	クルツ	太い	dick	ディック
重い	schwer	シュヴェーア	細い	dünn	デュン
軽い	leicht	ライヒト	硬い	hart	ハルト
正しい	korrekt	コレクト	古い	alt	アルト
間違った	falsch	ファルシュ	新しい	neu	ノイ

103

体・体調

Körper, körperlicher Zustand
ケーアパー, ケアパリヒャー ツーシュタント

ここが<u>少し</u>（ひどく）痛いです
Es schmerzt hier <u>etwas</u>(heftig).
エス　シュメルツト　ヒーア　<u>エトヴァス</u>（ヘフティヒ）

ひどいケガをしました
Ich habe mich schwer verletzt.
イッヒ　ハーベ　ミッヒ　シュヴェア　フェアレッツト

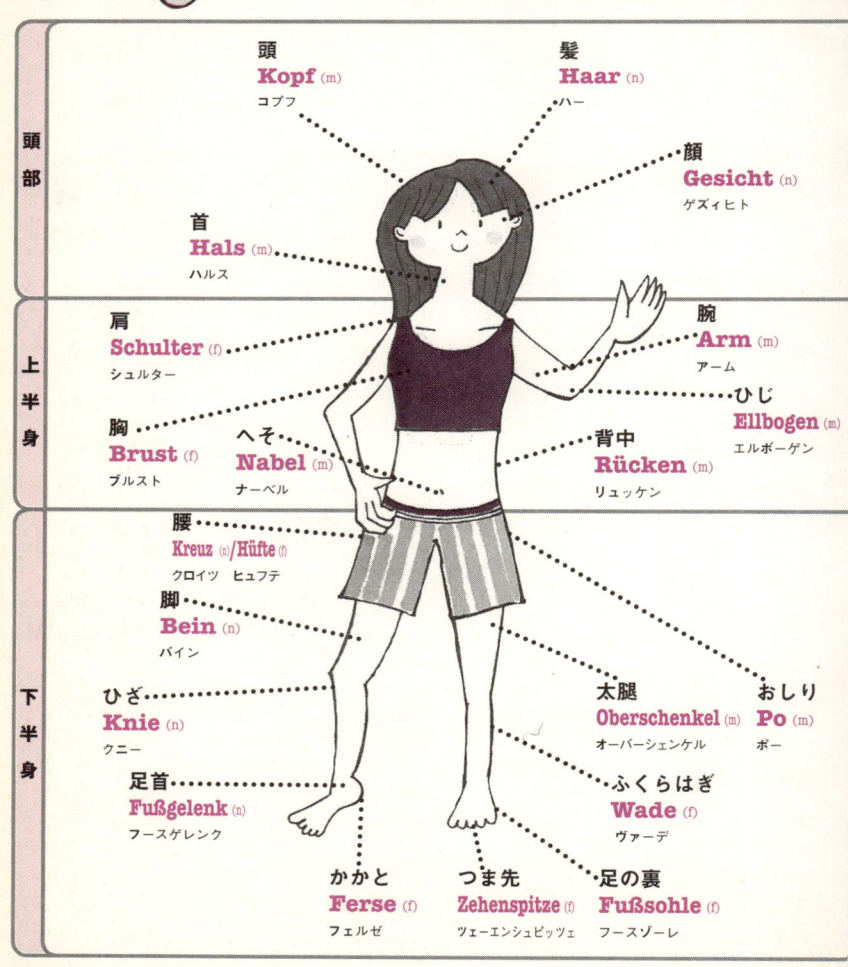

頭部

- 頭 **Kopf** (m) コプフ
- 髪 **Haar** (n) ハー
- 顔 **Gesicht** (n) ゲズィヒト
- 首 **Hals** (m) ハルス

上半身

- 肩 **Schulter** (f) シュルター
- 腕 **Arm** (m) アーム
- ひじ **Ellbogen** (m) エルボーゲン
- 胸 **Brust** (f) ブルスト
- へそ **Nabel** (m) ナーベル
- 背中 **Rücken** (m) リュッケン

下半身

- 腰 **Kreuz** (n)/**Hüfte** (f) クロイツ　ヒュフテ
- 脚 **Bein** (n) バイン
- ひざ **Knie** (n) クニー
- 太腿 **Oberschenkel** (m) オーバーシェンケル
- おしり **Po** (m) ポー
- 足首 **Fußgelenk** (n) フースゲレンク
- ふくらはぎ **Wade** (f) ヴァーデ
- かかと **Ferse** (f) フェルゼ
- つま先 **Zehenspitze** (f) ツェーエンシュピッツェ
- 足の裏 **Fußsohle** (f) フースゾーレ

●頭部の名称

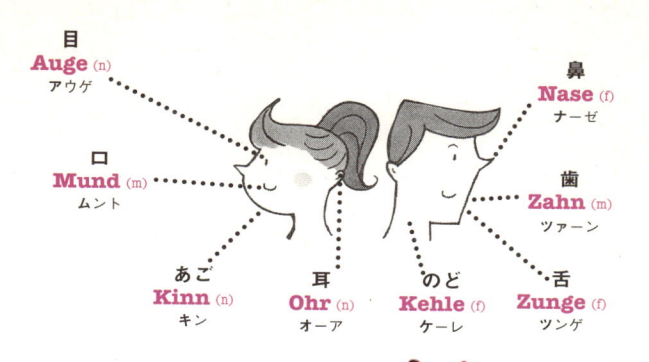

- 目 **Auge** (n) アウゲ
- 鼻 **Nase** (f) ナーゼ
- 口 **Mund** (m) ムント
- 歯 **Zahn** (m) ツァーン
- あご **Kinn** (n) キン
- 耳 **Ohr** (n) オーア
- のど **Kehle** (f) ケーレ
- 舌 **Zunge** (f) ツンゲ

咳 **Husten** (m) フーステン	鼻水 **Nasenschleim** (m) ナーゼンシュライム	めまい **schwindelig** シュヴィンデリヒ
クシャミ **niesen** ニーゼン	便秘 **Verstopfung** (f) フェアシュトプフング	痒い **Es juckt.** エス ユクト
チクチク刺すように痛い **stechende Schmerzen** シュテッヘンデ シュメルツェン	ヒリヒリ痛い **brennende Schmerzen** ブレネンデ シュメルツェン	吐き気がします **Mir ist übel.** ミア イスト イユーベル

●手の名称

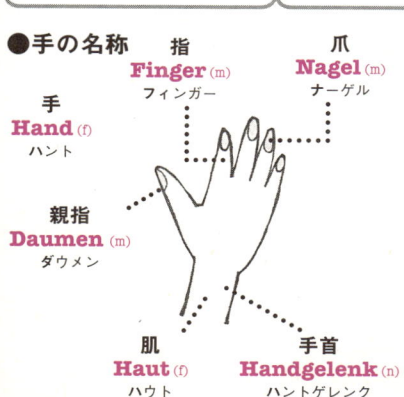

- 指 **Finger** (m) フィンガー
- 爪 **Nagel** (m) ナーゲル
- 手 **Hand** (f) ハント
- 親指 **Daumen** (m) ダウメン
- 肌 **Haut** (f) ハウト
- 手首 **Handgelenk** (n) ハントゲレンク

使える！ワードバンク 身体編

心臓	**Herz** (n) ヘルツ
肺	**Lunge** (f) ルンゲ
胃	**Magen** (m) マーゲン
十二指腸	**Zwölffingerdarm** (m) ツヴェルフフィンガーダルム
腸	**Darm** (m) ダルム
腎臓	**Niere** (f) ニーレ
肝臓	**Leber** (f) レーバー
ぼうこう	**Harnblase** (f) ハーンブラーゼ
腹	**Bauch** (m) バウホ
みぞおち	**Magengrube** (f) マーゲングルーベ
下腹部	**Unterleib** (m) ウンターライブ
脇腹	**Seite** (f) ザイテ

病気・ケガ

Krankheit, Verletzung
クランクハイト, フェアレッツング

ここがひどく（すこし）痛みます
Es schmerzt hier heftig(etwas)
エス シュメルツト ヒア ヘフティヒ（エトヴァス）

ズキズキ（にぶく）痛みます
Ich habe pochende(dumpfe)Schmerzen.
イッヒ ハーベ ポッヒェンデ（デュンプフェ）シュメルツェン

熱があります
Ich habe Fieber.
イッヒ ハーベ フィーバー

気分が悪いです
Ich fühle mich nicht wohl.
イッヒ フューレ ミッヒ ニヒト ヴォール

高血圧
hoher Blutdruck(m)
ホーハー ブルートゥドゥルック

ぜんそく
Asthma(n)
アストマ

糖尿病
Zuckerkrankheit(f)
ツッカークランクハイト

風邪薬
Medikament gegen Erkältung(n)
メディカメント ゲーゲン エアケルトゥンク

胃腸薬
Medikament für Magen und Darm(n)
メディカメント フュア マーゲン ウント ダルム

腹痛
Bauchschmerzen(m)
バオホシュメルツェン

下痢
Durchfall(m)
ドゥルヒファル

頭痛
Kopfschmerzen(m)
コップフシュメルツェン

旅行保険に入っています
Ich habe eine Reiseversicherung.
イッヒ ハーベ アイネ ライゼフェアズィッヒェルング

診断書をいただけますか
Kann ich bitte ein Attest haben?
カン イッヒ ビッテ アイン アテスト ハーベン↗

処方箋をください
Das Rezept, bitte.
ダス レツェプト ビッテ

使える！ワードバンク　病気編

低血圧	**niedriger Blutdruck**(m)	ニードゥリガー ブルートゥドゥルック
薬局	**Apotheke**(f)	アポテーケ
整腸剤	**Medizin für Darmstörung**	メディツィーン フュア ダルムシュテールング
解熱剤	**Fiebermittel**(n)	フィーバーミッテル
消化薬	**Verdauungsförderndes Mittel**	フェアダウングスフェルデルンデス ミッテル
肺炎	**Lungenentzündung**(f)	ルンゲンエントツュンドゥング
胃けいれん	**Krampf im Magen**(m)	クラムプフ イム マーゲン
頓服	**Fiebermittel**(n)	フィーバーミッテル

どんな感じの痛みですか？
Was für Schmerzen haben Sie?
ヴァス フュア シュメルツェン ハーベン ズィー ♪

どうしましたか？
Was haben Sie?
ヴァス ハーベン ズィー ♪

あなたはただの風邪です
Sie haben sich erkältet.
ズィー ハーベン ズィッヒ エアケルテート

注射をうちます
Wir geben Ihnen eine Spritze.
ヴィア ゲーベン イーネン アイネ シュピリッツェ

病院に連れて行ってください
Bitte bringen Sie mich ins Krankenhaus.
ビッテ ブリンゲン ズィー ミッヒ インス クランケンハウス

日本語（英語）のわかる医者はいますか？
Gibt es einen Arzt, der Japanisch (Englisch) spricht?
ギープト エス アイネン アールツト デア ヤパーニッシュ（エングリッシュ）シュプリヒト ♪

切り傷
Wunde (f)
ヴンデ

打撲
Prellung (f)
プレルング

歯痛
Zahnschmerzen (pl)
ツァーンシュメルツェン

救急車
Krankenwagen (m)
クランケンヴァーゲン

やけど
Brandwunde (f)
ブラントヴンデ

ねんざ
Verstauchung (f)
フェアシュタウフング

骨折
Knochenbruch (m)
クノッヘンブルッフ

手術
Operation (f)
オペラツィオーン

検査
Untersuchung (f)
ウンターズーフング

使える！ワードバンク　治療編

入院	**Einweisung ins Krankenhaus** (n) アインヴァイズング インス クランケンハウス
レントゲン撮影	**Röntgenstrahlungen** (pl) レントゲンシュトラールンゲン
妊娠中	**Schwangerschaft** (f) シュヴァンガーシャフト
ぬう	**nähen** ネーエン
消毒	**Desinfektion** (f) デスインフェクツィオーン
消毒薬	**Desinfektionsmittel** (m) デスインフェクツィオーンスミッテル
鎮痛剤	**Schmerzmittel** (n) シュメルツミッテル
私はアレルギー体質です	**Ich habe eine Allergie.** イッヒ ハーベ アイネ アレルギー

事故・トラブル

Unfall, Unannehmlichkeiten
ウンファル, ウンアンネームリヒカイテン

待てー!!
Halt!
ハルト

泥棒!!
Ein Dieb!
アイン ディープ

財布
Geldbeutel (m)
ゲルトボイテル

クレジットカード
Kreditkarte (f)
クレディートカルテ

現金を盗まれました
Mein Geld wurde gestohlen.
マイン ゲルト ヴルデ ゲシュトーレン

航空券
Flugticket (n)
フルークティケット

パスポートをなくしました
Ich habe meinen Pass verloren.
イッヒ ハーベ マイネン パス フェアローレン

救急車(警察)を呼んでください!!
Rufen Sie den Krankenwagen (die Polizei), bitte!
ルーフェン ズィー デン クランケンヴァーゲン (ディー ポリツァイ) ビッテ

日本大使館(領事館)に電話をしてください
Rufen Sie die japanische Botschaft (Konsulat) an, bitte.
ルーフェン ズィー ディー ヤパーニッシェ ボートシャフト (コンズラート) アン ビッテ

ここに電話をしてください〈電話番号を見せながら〉
Rufen Sie hier an, bitte.
ルーフェン ズィー ヒアー アン ビッテ

誰か、日本語(英語)を話せる方はいますか?
Spricht jemand Japanisch (English)?
シュプリヒト イェーマント ヤパーニッシュ (エングリッシュ) ↗

この店でボッタくられました
Ich wurde in diesem Geschäft betrogen.
イッヒ ヴュルデ イン ディーゼン ゲシェフト ベトローゲン

あの人に殴られました
Ich wurde von diesen Mann geschlagen.
イッヒ ヴルデ フォン ディーゼン マン ゲシュラーゲン

だまされました
Ich wurde betrogen.
イッヒ ヴルデ ベトゥローゲン

落ち着いてください
Bitte beruhigen Sie sich!
ビッテ ベルーヒゲン ズィー ズィッヒ

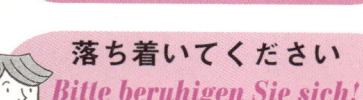

火事
Feuer (n)
フォイアー

紛失
Verlust (m)
フェアルスト

交通事故
Verkehrsunfall (m)
フェアケーアスウンファル

盗難証明書（事故証明書）を書いてください
Geben Sie mir bitte einen Diebstahlbericht(eine Unfallbescheinigung).
ゲーベン ズィー ミア ビッテ アイネン ディープシュタールベリヒト (アイネ ウンファルベシャイニグング)

かまわないでください!!
Lassen Sie mich in Ruhe!
ラッセン ズィー ミッヒ イン ルーエ

やめて!!
Hörauf!
ヘールアウフ

いりません!!
Brauche ich nicht.
ブラウヘ イッヒ ニヒト

助けて!!
Hilfe!
ヒルフェ

興味がありません!!
Ich habe kein Interesse daran.
イッヒ ハーベ カイン インテレッセ ダールアン

痴漢!!
Perverser
ペアヴェルザー

column ～「ドイツ流」マスターへの道～

勤勉・倹約は人生を楽しむための知恵

日本では「早起きは三文の得」と言うそうですね。実は、ドイツにも同じような意味のことわざがあります。"Morgenstunde hat Gold in Munde（モルゲンシュトゥンデ ハット ゴルト イン ムンデ）"で、これは、「早朝の時間は金の味わい」という意味です。要は、早起きして一生懸命働かなきゃ、ってことでしょうか。南ドイツの方言には"Schaffe, schaffe Häusle bauen！（シャッフェ シャッフェ ホイスレ バウエン）"これは「働いて、働いて家を建てよう！」の意味。さすが、日本人もドイツ人も勤勉で知られるだけのことはありますね。

ドイツの勤勉は個人主義的！?

実際、ドイツでは朝7時とか7時半とかから会社に行って仕事を始めている人が結構います。でも、よく見ると日本人の働きぶりとはちょっと違うようです。早朝から仕事に出た人は夕方4時ごろになると、さっさと家に帰ってしまうことが珍しくありません。夏の間は日が落ちるのが9時、10時なので、みなさん仕事を終えてからサッカーをしたり、プールへ行ったりして楽しんでいるのです。どうです、日本のお父さんたちは、朝早くから出かけて行って夜遅くまで仕事をしているっていうのにですよね。

ドイツでこうした勤務ができるのは、基本的にはフレックスタイムがとても充実していることも背景にあるのですが、何よりドイツ人は「仕事はさっさと済ませてしまって、できた時間は自分の楽しみのために使おう」という考え方が当たり前だからです。まあ個人主義が徹底していると言ったらそれまでですが、日本人の目にドイツ人の勤勉はずいぶんと自己中心的に映るかも知れません。

倹約も休暇のため！?

でも、これが大多数のドイツ人の生き方なのです。もう一つドイツ人のライフスタイルを表すのによく用いられる言葉に「倹約」がありますが、こちらも同様です。

ドイツで休暇Urlaub（ウアラウプ）といえば、平均4週間ほど取ることで知られてますが、ドイツ人はこの長期休暇をリゾートに出かけたり、日頃できない勉強をしたり、スポーツ三昧で過ごしたりと、自分流にトコトン楽しみます。日々倹約に燃えているのも、この休暇のためと言っても大袈裟ではないでしょう。

日本人にとって勤勉・倹約は美徳なのでしょうが、どこか地味なイメージがあります。でも、ドイツ人にとってそれらは、派手に人生をエンジョイするための合理的なメソッドであるワケです。

もっと仲良くなるために、日本のことを伝えよう！

日本の紹介

日本の地理 ────────────── P112
　日本の山・日本三景・三名城 ───── P112
　世界遺産 ──────────────── P113
日本の一年 ────────────── P114
日本の文化 ────────────── P116
　伝統工芸 ──────────────── P116
　伝統芸能と武道 ─────────── P117
日本の家族 ────────────── P118
日本の料理 ────────────── P120
日本の生活 ────────────── P122
〈コラム〉議論好きのドイツ人は、ジョークも大好き P124

日本の地理

Die Geographie in Japan
ディー ゲオグラフィー イン ヤーパン

日本列島は4つの大きな島（北海道、本州、四国、九州）と大小約7000もの島々から成り立っている。

Japan besteht aus 4 großen Inseln(Hokkaido, Honshuu, Shikoku, Kyushuu)und 7000 mittleren und kleineren Inseln.

私は〜で生まれました。
Ich bin in 〜 geboren.
イッヒ ビン イン 〜 ゲボーレン

日本の山 高さベスト3 Die drei höchsten Berge von Japan

1	富士山	3,776m	Mt. Fuji
2	北岳	3,192m	Mt. Kitadake
3	奥穂高岳	3,190m	Mt. Okuhodakatake

三名城 Die drei berühmten Schlösser von Japan

姫路城	（兵庫）	Himeji-jo (Hyoogo)
松本城	（長野）	Matsumoto-jo (Nagano)
熊本城	（熊本）	Kumamoto-jo (Kumamoto)

日本三景 Die drei schönsten Landschaften von Japan

天橋立（京都）	Amanohashidate (Kioto)
厳島神社（広島）	Itsukushima-Schrein (Hiroshima)
松島（宮城）	Matsushima (Miyagi)

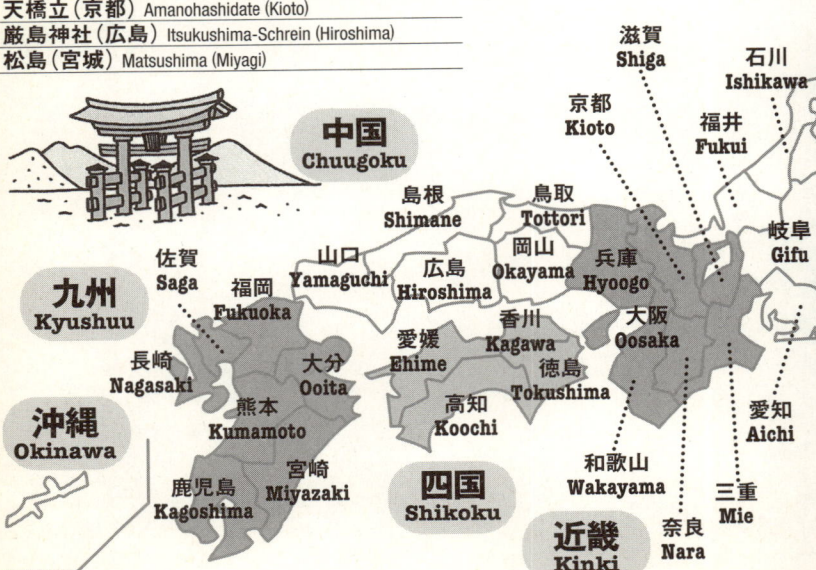

中国 Chuugoku
九州 Kyuushuu
沖縄 Okinawa
四国 Shikoku
近畿 Kinki

滋賀 Shiga
石川 Ishikawa
京都 Kioto
福井 Fukui
島根 Shimane
鳥取 Tottori
山口 Yamaguchi
広島 Hiroshima
岡山 Okayama
兵庫 Hyoogo
岐阜 Gifu
佐賀 Saga
福岡 Fukuoka
愛媛 Ehime
香川 Kagawa
大阪 Oosaka
長崎 Nagasaki
大分 Ooita
徳島 Tokushima
熊本 Kumamoto
高知 Koochi
愛知 Aichi
鹿児島 Kagoshima
宮崎 Miyazaki
和歌山 Wakayama
奈良 Nara
三重 Mie

私の国を紹介します。
Ich will mein Land vorstellen

北海道
Hokkaido

東北
Toohoku

青森 Aomori
秋田 Akita
岩手 Iwate
富山 Toyama
山形 Yamagata
宮城 Miyagi
新潟 Niigata
福島 Fukushima
群馬 Gunma
栃木 Tochigi
茨城 Ibaraki
長野 Nagano
山梨 Yamanashi
埼玉 Saitama
千葉 Chiba
東京 Tokio
神奈川 Kanagawa
静岡 Shizuoka

関東 Kantoo

中部 Chuubu

[世界遺産] Weltkulturerbe

日本にあるユネスコの世界遺産は、2006年1月現在、13物件あります。

In Japan gibt es zum Zeitpunkt von Januar 2006, 13 Unesco Weltnaturerben.

●知床（北海道、2005/自）Shiretoko
●白神山地（青森・秋田、1993/自）Shirakami-Gebirge
●日光の社寺（栃木、1999/文）
Tempelanlagen von Nikko
●白川郷・五箇山の合掌造り集落（岐阜・富山、1995/文）
Historische Gasho-baustilsiedlung Shirakawagou und Gokayama
●古都京都の文化財
（京都市・宇治市・大津市、1994/文）
Kulturgut von Kyoto (Stadt: Kyoto, Uji, Ootsu)
●古都奈良の文化財（奈良、1998/文）
Kulturgut der alten Stadt Nara
●法隆寺地域の仏教建造物（奈良、1993/文）
Buddhistische Bauten in Bezirk von Hooryuujitempel
●紀伊山地の霊場と参詣道
（三重・奈良・和歌山、2004/文）
Heiliger Ort und Wallfahrtsweg des Kii-Bergland
●姫路城（兵庫、1993/文）Schloss von Himeji
●広島の平和記念碑〈原爆ドーム〉（広島、1993/文）
Friedensdenkmal (Atombombendom) in Hiroshima
●厳島神社（広島、1996/文）Itsukushima-Schrein
●屋久島（鹿児島、1993/自）Yakushima-Inseln
●琉球王国のグスク及び関連遺跡群（沖縄、2000/文）
Gusuku (Burg) und Ruinen des Ryukyuu Königreich

※（ ）内は所在地、登録年／文＝文化遺産、自＝自然遺産

はじめよう
歩こう
食べよう
買おう
極めよう
伝えよう
日本の紹介

日本の一年

Die Jahrezeiten in Japan
ディーヤーレスツァイテンインヤーパン

日本には4つの季節"四季(Shiki)"があり、それぞれの季節とその移り変わりを楽しむ行事がある。

In Japan, gibt es vier verschiedene Jahreszeiten. Jede Jahreszeit hat ihren Reiz.

日本は今〜の季節です。
In Japan ist es gerade 〜.
イン ヤーパン イスト エス ゲラーデ 〜

[七夕(7月7日)]
Tanabata-Sternefest (7.Juli)

中国の伝説に由来する。1年に一度だけ、天の川の両端にある星、彦星(アルタイル)と織り姫(ベガ)が出会うことを許される。竹を飾り、色紙に願いを書いて、庭に飾る。

Ursprung-Chinsesische Legende. Einmal in der Nacht von 7. Juli dürfen sich die Sterne Altar und Vega, an der Milchstraße sich sehen. Man schmückt ein Bambusbaum mit Buntpapier mit Wünschen beschriftet und stellt es in den Garten.

[端午の節句(5月5日)]
Tango-no-sekku Knabenfest (5.Mai)

男の子の健やかな成長を祝う。鯉のぼりや武者人形や鎧兜などを飾る。この日は祝日となる。

Man feiert das gesunde Wachstum des Knaben. Man hißt eine Karpfenfahne (Windsack in Karpfengestalt) und dekoriert Samuraipuppen und Rüstungen. Dieser Tag ist ein Feiertag.

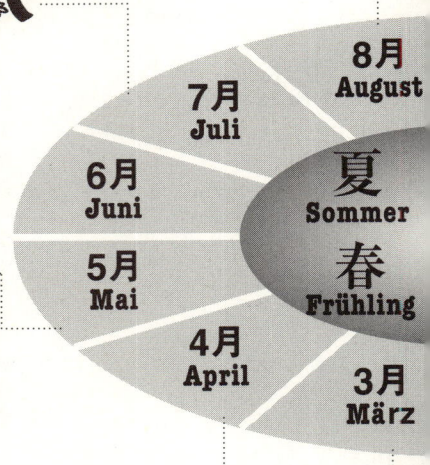

8月 August	
7月 Juli	夏 Sommer
6月 Juni	
5月 Mai	春 Frühling
4月 April	
3月 März	

[花見] Kirschblütenschau

桜が満開の時期になると、職場仲間や友人、家族で公園などに出かけ、桜の木の下で食事をしたり、酒を飲んだりする。

Wenn die Kirschblüten aufblühen, treffen sich Familien, Freunde,Arbeitskollegen zusammen unter dem Kirschbaum im Park und essen und trinken vergnügt und freuen sich bei der Ansicht der Kirschblüten.

[ひな祭り(3月3日)]
Hinamatsuri-Mädchenfest (3.M

女児の健やかな成長と幸運を願事。ひな人形を飾り、桃の花やひし餅、ひなあられを供える。

Es ist ein Fest, wo man den gesunden stum und Glück der Mädchen wünsch dekoriert Hina-Puppen und man bring chblüten, Reiskuchen, weißen Sake da

[お盆] O-bon

7月、8月中旬に行われる、亡くなった人の魂を迎え入れるお祭り。多くの人が都会から帰ってきて、お墓参りをする。

Mitte Juli, August. Fest, wo man die heimkehrende Seele der Verstorbenen empfängt. Viele kehren von der Stadt zurück und gehen zum Grab und Gedenken der Toten.

[月見(9月中旬)] Tsukimi-Mondschau

9月に満月を眺めるお祝い。おもちや秋の七草を供える。

Ein Fest im September, wo man den Vollmond bewundert. Man bringt Reiskuchen, Obst und herbstliche Kräuter dar.

私の国を紹介します
Ich will mein Land vorstellen

[クリスマス(12月25日)] Weihnachten (25. Dezember)

日本ではクリスマスは宗教色が薄く、家族や友人、恋人達が絆を確かめあう行事であることが多い。

In Japan hat dieses Fest kaum eine religiöse Bedeutung. Es ist mehr ein Familienfest, Freunde treffen sich und feiern. In Japan ist es auch ein Fest für verliebte Pärchen, wo man gegenseitig die Beziehung zu den anderen neu entdeckt.

[大晦日(12月31日)] Oomisoka-Silvester

大晦日の夜には、家族揃ってテレビで歌番組などを見て過ごす。また、家族揃ってそばを食べることによって、健康と長寿を願う。

Am Silvester sitzt die ganze Familie vor dem Fernseher und schauen Programme mit viel Gesang. Man ißt zum Abendessen Soba (Buchweizennudeln) und wünscht sich gegenseitig Gesundheit und langes Leben.

[正月] Shoogatsu- Neujahr

1年の最初の月のことだが、1月1~7日を指すことが多い。古来より、正月の行事は盆とともに重要なものとされている。

Es ist der erste Monat im Jahr. Oft meint man auch damit 1. bis zum 7.Januar. Von alters her hat der Shogatsu mit dem O-bon eine sehr wichtige Bedeutung.

[節分(2月3日)] Setsubun -Vorfrühlingsanfang

鬼役の人に向かってマメを投げながら「鬼は外」「福は内」と叫び、幸福を願う。

Man beschmeisst die Teufelsrolle mit Bohnen und ruft: "Teufel draußen, Glück drinnen." Man wünscht sich Glück.

[バレンタインデー (2月14日)] Valentines Day (14 February)

女性から男性にチョコレートを贈るのが一般的。贈り物をもらった男性は3月14日のホワイトデーにお返しをする。

Es ist üblich, das Frauen den Männern Schokolade oder andere Geschenke überreichen. Am 14. März am Whiteday muss der Mann dann ein Gegengeschenk geben.

9月 September
10月 Oktober
11月 November
12月 Dezember
1月 Januar
2月 Februar

秋 Herbst
冬 Winter

日本の文化

Die Kultur in Japan
ディー クルトゥーア イン ヤーパン

~を知ってますか?
Kennen Sie ~.
ケネン ズィー ~

伝統工芸
Traditionelles Kunsthandwerk

[着物] Kimono

着物、和服とよばれる。江戸時代までは日本の伝統的な衣服だったが、現在ではむしろ、お茶会やお祝いごとに着ていく礼服になっている。

Kimono, Wafuku genannt. Traditionelle Kleidung bis in Edozeit. Heutzutage ist mehr eine formelle Kleidung bei Festen, Teezeremonien.

[浮世絵] Ukiyoe (Japanischer Farbholzschnitt)

浮世絵は江戸時代に発達した風俗画。15~16世紀には肉筆の作品が中心だったが、17世紀後半、木版画の手法が確立され、大量生産が可能になると、庶民の間に急速に普及した。

Ukiyoe hat sich in der Edozeit entwickelt. Es ist ein Genre bild. In 15-16 Jahrhundert hat man mit der Hand gezeichnet, Ende des 17 Jahrhundert wurde der Holzdruck erfunden und es wurde die Massenproduktion möglich. Es hat sich rasch unter das gemeine Volk verbreitet.

[短歌と俳句] Tanka und Haiku (Japanisches Dichtkunst)

短歌は日本独特の和歌の一形式で、五七五七七の五句31音で構成される。俳句は五七五の三句17音の詩。この短い形式の中に美しい言葉で季節や自分の気持ちを詠み込む。

Dichtkunstform mit 31 Silben. Die Länge der Silben pro Satz ist festgelegt. Tanka hat 31 Silben und Haiku hat 17 Silben. In dieser Form sing man die Natur oder seine eigene Gefühle.

[盆栽] Bonsai (Miniaturbaum als Topfpflanze)

特別な手入れを行うことで、小さな木を大木のように育てる。鉢も鑑賞の重要な対象となる。

Durch spezielle Behandlung wird ein kleiner Baum wie zu einen großen Baum gezüchtigt. Der Topf ist auch wichtige Zierde.

[生け花] Ikebana (Japanisches Blumenstecken)

生け花は草花や花を切り取り、水を入れた花器に挿して鑑賞する日本独特の芸術。もとは仏前に花を供えるところから始まったが、室町時代(14~16世紀)には立花として流行し、江戸時代になると茶の湯とともに一般に普及した。

Man steckt Blumen und Gräser in Gefäße und bewundert sie. Anfang war das Blumenstecken am buddh. Altar. Es fand Verbreitung durch Teezeremonie.

[茶道] Sadoo (Teezeremonie)

茶道(さどう、ちゃどう、また茶の湯ともよばれる)は、16世紀ごろ千利休が大成した。彼は禅の精神を取り入れ、簡素と静寂を旨とする日本独特の「わび」の心を重んじた。

Sadoo (Sadoo, Chadoo, Cha-no-yu genannt) hat der Rikyuu im 16. Jahrhundert vollendet. Er hat den Geist des Zen übernommen und hat sehr viel Wert auf den Geist des japanisch eigenen Wabi-Stil, der eine Einfachheit und harmonische Stille darstellt, gelegt,

伝統芸能と武道
Traditionelle Bühnenkunst und Kampfkünste

私の国を紹介します。
Ich will mein Land vorstellen

[歌舞伎] Kabuki

江戸時代に生まれた日本独特の演劇芸術。1603年、出雲大社の巫女だった女性たちが京都で興行したのが始まりといわれている。風紀を乱すという理由で禁止されたが、その後、徳川幕府により成人男子が真面目な芝居をすることを条件に野郎歌舞伎が許された。現在の歌舞伎は男性のみで演じられる。★

Ursprung ist der Tanz und Theater der Tempelmädchen des Yagumoschrein 1603 in Kyoto. Es fand rasche Verbreitung. Da man aber der Meinung war, das es die öffentl. Moral störe, wurde es verboten. Das Tokugawa Shogunat erlaubte es, wenn Männer es seriös aufführen. Bis heute überlieferte Bühnenkunst.

[文楽] Bunraku (Japanisches Puppenspiel)

日本の伝統的な人形芝居で、人形浄瑠璃（義太夫節）という独特の歌謡に合わせて演じられる。人形浄瑠璃が成立したのは1600年前後といわれ、主に大阪を中心に発展してきた。★

Traditionell japanisches Puppenspiel. Zu dem Puppenspiel wird in orginellen Ningyojooruri-Stil gesungen und aufgeführt. Dieses Puppenspiel enstand um 1600 herum und hat sich sehr in Grossraum Oosaka verbreitet und weiterentwickelt.

[能・狂言] Noh-Tanz, Kyogen(Zwischenspiel von Noh)

室町時代初期（14世紀）にでき上がった歌舞劇で、二人から数人で、華麗な衣装と仮面をつけて演じる古典芸能。狂言は、ユーモアにあふれたセリフ主体の劇である。★

In den Anfangzeiten der Muromachiperiode (14 Jahrhundert) enstandene Sing und Tanzspiel. Es ist eine klassische Bühnenkunst,wo zwei bis mehrere Leute in kostbaren Kostümen tanzen, sie setzen Masken beim Tanz auf.Das Kyogen wird auf der gleichen Bühne wie Noh aufgeführt,aber ohne Maske und der ganze Aufführungsstil ist humorvoll.

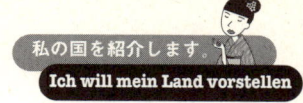

[相撲] Sumo (Japanischer Ringkampf)

伝統的なスポーツの一つ。土俵という丸いリングの中で2人が組み合い、相手を土俵の外に出すか、地面に倒した方が勝ち。古来、相撲は神の意志を占う役割を果たしたが、現在の相撲は8世紀ごろの天皇に見せた節会相撲が始まり。現在は日本の国技として人気を集め、外国人力士も増加中。

Eine trationelle Sportart. Zwei Menschen ringen in einen Kreis Namens "Dohyo".Man siegt, indem man den Gegner aus dem Kreis rausdrängt oder zu Boden schmeisst. Ursprünglich hatte es eine Funktion als ein Orakel, um die Götter zu befragen. Ab dem 8.Jahrhundert hat man das Hofbankettsumo eingeführt, um es dem Tenno (jap.Kaiser) vorzuführen. Heutzutage ist es berühmt als eine Nationalkampfsport Japans. Es gibt auch viele ausländische Ringkämpfer.

[柔道] Judo

日本に古くからあった柔術という格闘技を、19世紀に嘉納治五郎がスポーツとして改良したもの。体と精神の両方を鍛えることを目的としている。

Der Kano Jigoro hat im 19.Jahrhundert die seit alters her überlieferte Kampfsportart Juhjitsu neu zu einem Kampfsport überarbeitet. Das Ziel dieses Kampfsport ist das Trainieren von Leib und Seele.

[剣道] Kendo

剣を使って心身を鍛える道。武士の時代には相手を倒すための武術だったが、現在では面、胴、小手などの防具をつけ、竹刀で相手と打ち合う。

Eine Sportart, wo man sein Geist und Körper trainiert. Zur Zeit der Samurai war es eine Kriegskunst, um den Gegner zu niederzuschlagen. Heutzutage legt man sich Protektionschutz am Kopf, Taille und Hand an und kämpft mit einen Bambusschwert.

★ 歌舞伎、能楽、人形浄瑠璃文楽は、ユネスコの無形文化遺産に登録されている

日本の家族

Die Familie in Japan
ディー ファミーリエ イン ヤーパン

家族の幸せや長寿を願い、さまざまな伝統行事や催しを行う。

Man wünscht sich der Familie Glück und langes Leben, deshalb feiert man verschiedene traditionelle Feste und Veranstaltungen.

誕生日おめでとう！
Herzlichen Glückwunsch zum Geburtstag
ヘルツリッヒェン グリュックヴンシュ ゲブルツターク

ありがとう！
Vielen Dank!
フィーレン ダンケ

[結婚式] Kekkonshiki (Hochzeit)
決まった宗教を持たない人が多い日本では、結婚式の形式も特定の宗教にとらわれないことが多い。古来より神前結婚式が多数を占めていたが、最近はキリスト教式の結婚式を選ぶ人も多い。
In Japan, wo wenige eine besitmmte Religion praktizieren, ist die Trauung oft nicht an irgendeine festen Religionen gebunden. Von Alters her hat man eine shintoistische Trauung mehrheitlich gewählt, aber heutezutage lassen sich viele christlich Trauen.

男性25、42、61歳
女性19、33、37歳 ※3

男性31.2歳、女性29.0歳
（平均婚姻年齢）※1

60歳

[還暦] Kanreki
一定の年齢に達した高齢者に対し、長寿のお祝をする。例えば、数え年での61歳を還暦といい、家族が赤い頭巾やちゃんちゃんこを贈る風習がある。
Man feiert bei älteren Menschen, ab bestimmten Alter ihren langen Leben. Wenn eine Oma nach traditioneller japanischer Zählweise 61 geworden ist, ist es Sitte, dass die Familie der Oma eine rote Haube und Jacke schenkt.

[厄年] Yakubarai (Unheil vertreiben)
厄年とは病気や事故、身内の不幸といった災いが降りかかりやすい年齢のこと。社寺にお参りして、厄払いの祈願をすることが多い。
Yakudoshi (Unheilsjahr) ist ein bestimmtes Lebensjahr bei Frauen und Männer, wo man besonders auf Krankheit und Unfall und Unglück in seiner Familie aufpassen soll.

男性78.3歳、女性85.3歳
（平均寿命）※2

[葬式] Sooshiki (Beerdigung)
日頃あまり宗教的ではない日本人も、葬式においては多分に宗教的である。そのほとんどが仏教式。
Auch wenn ein Japaner in seinem Alltag nicht besonders religiös ist, bei der Beerdigung spielt die Religion eine wichtige Rolle. Die meisten Beerdigungen sind budhistisch.

[法要] Hooji (Buddhistische Totenmesse)
葬式が終わったあとも、死者が往生して極楽（キリスト教における天国）に行けるよう、残された家族や親戚が供養を行う。初七日、四十九日、一周忌が特に重要とされている。
Nach der Beerdigung veranstalten die Hinterbliebenen eine Totenmesse für den Verstorbenen, damit er in den Gokuraku-Paradies kommen kann. Besonders wichtig sind die Totenmessen am siebten und 49 Tag nach der Beerdigung und der erste Todestag.

※1、2は2003年厚生労働省人口動態統計に拠る

私の国を紹介します。
Ich will mein Land vorstellen

[帯祝い] Obi-Iwai

妊娠して5カ月目の、干支でいう戌の日に、妊婦の実家が腹帯を贈る行事。戌の日に行うのは多産な犬にあやかり、安産を祈ることに由来する。

In fünften Monat der Schwangerschaft.Im Eto-kalender ist es der Tag des Hundes. An diesen Tag schickt die Familie der schwangeren Frau einen Kimonogürtel (Obi).Da Hunde eine kinderreiche Geburt haben, erhofft man sich an diesen Fest auch eine gesegnete und leichte Geburt.

[お宮参り] Omiya-mairi (Schreinbesuch)

赤ちゃんの誕生を祝い、元気な成長を願って、男の子は生後30日目、女の子は生後33日目に住んでいる土地の神社にお参りする。

Man feiert die Geburt des Kindes und erhofft sich ein gesundes Wachstum. Bei Jungen geht man am 30.Tag, bei Mädchen geht man am 33. Tag nach der Geburt zum Schrein vor Ort.

誕生前 ▶▶▶ 生後30〜33日 ▶▶▶ 3歳

5歳

[七五三] Shichigosan (Kindersegnung)

子供の健やかな成長を願って、男の子は3歳と5歳、女の子は3歳と7歳のときに神社にお参りをする。

Man wünscht sich einen gesunden Wachstum der Kinder. Als Junge geht man mit 3 und 5 Jahren zum Schrein. Als Mädchen geht man mit 3 und 7 Jahren zum Schrein und lässt sich segnen.

7歳

20歳 / 18歳〜 / 16〜18歳 / 6〜15歳
大学／専門学校　高等学校　小〜中学校

[成人の日] Seijin no hi (Tag des Erwachsen werden)

満20歳になった人を成人として認める儀式。1月の第2月曜日に、各地の自治体では記念の式典が行われる。満20歳になると選挙権が得られる。また、飲酒、喫煙も許される。

An dem 2.Montag in Januar feiert man in den jeweiligen Bezirken diesen Tag mit Zeremonien und Veranstaltungen die 20 Jährigen. Es soll eine Zeremonie sein, wo man die 20 Jährigen als Erwachsene anerkennt. Mit 20 bekommen sie das Wahlrecht, dürfen öffentlich trinken und rauchen.

[進学・就職] Shingaku (Einschulung) Shuushoku (Berufslebenanfang)

幼稚園、小学校、中学校、高校、大学を経て就職するまで、子供の教育に必死になる親は多い。

Kindergarten, Vorschule, Mittelschule, Oberschule und Universität- Eltern sind sehr bemüht um die schulischen Erziehung der Kinder.

現代家族の形態

[核家族] kakukazoku (Kernfamilien)

日本で主流になっている家族形態。かつては若年層世帯の多い都市部に多かったが、現在では過疎化の進む地方でも目立つ。

Die häufigste Form der Familienstruktur in Japan. Bis vor kurzen lebten meisten Kernfamilien hauptsächlich in den Großstädten, wo viele junge Leute leben, aber heute zu Tage gibt es die Kernfamilien auch in den ländlichen dünnbesiedelten Regionen.

[共働き] Tomobataraki (Doppeleinkommen)

結婚をしても、夫と妻の双方が仕事を続ける場合が多く、その場合子供を持たない夫婦をDINKSとよぶ。

Wenn Ehepaare heiraten, behalten oft beide Eheleute ihren Beruf. Wenn das Ehepaar keine Kinder hat, werden sie auch DINKS genannt.

[パラサイトシングル] Parasaitosinguru (Parasiten-Single)

一定の収入があっても独立せず、結婚適齢期を過ぎても親と同居し続ける独身者のことをいう。

Singles, die trotz entsprechenden Einkommen bei ihren Eltern wohnen bleiben, auch wenn sie in das heiratsfähige Alter kommen.

※3　厄年は数え年（満年齢に1つ足す）であらわされる

日本の料理

Japanische Küche
ヤパーニッシェ
キュッヒェ

現代の日本では、あらゆる国の料理を楽しむことができるが、ここでは日本の代表的な料理をいくつか紹介する。

In Japan kann man heutezutage verschiedene Gerichte aus verschiede Länder essen. Hier zeigen wir einige typische japanische Gerichte

いただきます！
Itadakimasu- Einen guten Appetit
アイネン グーテン アペティート

ごちそうさま
Gochisoosama- Es hat gut geschmeckt
エス ハット グート ゲシュメックト

[すし] Sushi

砂糖を混ぜた酢で調味した飯（すし飯）にさまざまな魚介類を薄切りにしてのせたもの。

Auf einen Reis, der mit Essig und Zucker abgeschmeckt ist, kommen verschiedene Fisch und Muschelsorten, die in dünnen Scheiben geschnitten sind, drauf. Es gibt den Edomae-sushi in handgerollter Form und noch verschiedene Sorten von Sushi.

[刺身] Sashimi

新鮮な魚介類を薄切りにして盛り付けたもの。普通、ワサビを薬味にして醤油につけて食べる。

Frische Fische und Muscheln werden in dünnen Scheiben geschnitten und dekoriert. Man ißt den Sashimi, indem man die Scheiben in Soyasauce mit Meerrettich als Würze eintunkt.

[すき焼き] Sukiyaki

鉄鍋を使い、牛肉の薄切り肉と豆腐、しらたき、野菜などを卓上コンロで煮ながら食べる。

Man kocht auf einem Tischgaskocher, in einem Eisentopf dünngeschnittes Rindfleisch, Tofu, Shirakaki, Gemüse. Und ißt es.

[天ぷら] Tempura

野菜や魚介類に衣をつけて油でからりと揚げた料理。

Man paniert Gemüse, Fleisch und Fisch mit Mehl und fritiert es.

[しゃぶしゃぶ] Shabushabu

薄く切った牛肉を沸騰した昆布だしの鍋にさっとくぐらせ、たれにつけて食べる。

Dünngeschnittene Rindfleischscheiben werden kurz in einer Brühe, mit Seetang abgeschmeckt, eingetaucht. Man ißt es mit einer Soße.

[鍋もの] Nabemono (Eintopf)

大きな鍋で野菜や魚介類などを煮ながら食べる。材料や味付けによってさまざまな鍋がある。

In einen großen werden Gemüse, Fisch oder Fleisch gekocht und man löffelt sich die Zutaten, die man essen will selber direkt aus dem Topf. Es gibt verschiedene ein topfgerichte.

[会席料理]
Kaisekiryori (Leichtes Essen)

酒宴のときに出される上等な日本料理。西洋料理のフルコースのように一品ずつ順に料理が運ばれる。季節に合った旬の素材が美しく調理される。

Es ist ein feines japanisches Essen bei Bankett. Jedes Gericht wird wie bei einem vollen Menü, einzeln nacheinander in der Reihe reserviert. Saisonale Zutaten werden in schöner Weise zubereitet.

[麺類] Menrui (Nudeln)

そば粉に小麦粉、水などを加えて練り細く切ったそばと、小麦粉を練って作るうどんは日本の伝統的な麺類。

Man mischt Buchweizenmehl, Wasser und knetet es zu einen Teig. Diesen Teig schneidet man zu feinen Nudeln, Soba genannt. Gekneteter Weizenmehl ergibt den Udon. Beide Sorten sind die typischen japanischen Nudeln.

私の国を紹介します。
Ich will Mein Land Vorstellen.

[おでん] Oden

醤油のだし汁で、魚の練り製品や大根、ゆで玉子などを数時間煮込んだもの。

In einer Brühe mit Soyasauce abgeschmeckt, werden verschiedene Fischwurstsorten und Konyaku (Aronstabgelatine) eingekocht.

[お好み焼き]
Okonomiyaki

小麦粉に水と卵を加え、その中に野菜、魚介類、肉などを混ぜたものをテーブルにはめ込んだ鉄板で焼いて食べる。

Man mischt Mehl, Wasser und Ei und mischt darunter Gemüse, Meeresfrüchte und Fleisch und brät es wie ein Omlett auf einer Platte,das im Tisch eingefügt ist. Man ißt es direkt von der Platte.

[定食] Teishoku (Menü)

家庭的なおかずとご飯と味噌汁をセットにしたメニューで、学生から社会人までランチメニューとして人気。

Ein Menü, zusammengesetzt aus häuslichen Beilagen und Misosuppe. Restaurant, die ein Teishoku anbieten sind sehr beliebt bei Studenten und Arbeitern.

[焼き鳥] Yakitori (Fleischspieß)

一口大に切った鶏肉や牛、豚の臓物を串に刺してあぶり焼きにする。甘辛いたれをつけたものと塩味のものが選べる。

Kleingeschnitte Flügel oder Rind, Schweinstückchen werden aufgespießt und gegrillt. Man kann wählen zwischen süßsalziger Soße oder mit Salz abgeschmeckt.

食事のマナー
Manieren beim Essen

ご飯、汁物を食べるときは、茶碗、汁椀を胸のあたりまで持ち上げる。

Wenn man Reis und Suppe ißt, hebt man das Schälchen bis zur Brusthöhe und ißt es.

刺身の盛合せや漬物など共用の箸が添えられているものは、その箸を使って少量を自分のさらに取り分ける。

Es sind gemeinsame Stäbchen bei Platten mit Sashimi, Schälchen mit eingelegten Gemüse und Gerichte beigelegt. Jeder nimmt sich ein bißchen von der Platte,indem er die beigelegten Stuabchen benutzt.

汁物をいただくときは椀や器に直接口をつけて静かにいただく。

Wenn man die Suppe ißt, trinkt man die Suppe direkt aus der Schaale.

茶碗のご飯は最後のひと粒まで残さず食べる。食べ終わったら箸をきちんと箸置きにおいて、食べ始めの状態に戻す。

Es wird bis zum letzten Reiskorn aufgegessen. Wenn man mit dem Essen fertig ist, legt man die Stäbchen auf die Stäbchenbank, wie vor dem Essen, zurück.

はじめよう / 歩こう / 食べよう / 買おう / 極めよう / 伝えよう / 日本の紹介

日本の生活

Leben in Japan
レーベン イン ヤーパン

すまい
Wohnung

日本の住居は独立した一戸建てと、複数の住居が一棟を構成する集合住宅とに大別される。地価の高い都心では庭付きの一戸建てに住むのは難しく、マンションなどの集合住宅が人気。

In Japan unterscheidet man zwischen Einzelhäuser und Apartmenthaus. In Japan, wo die Grundstückspreise hoch sind, besonders in der Großstadt, ist es schwierig in einem Einzelhaus mit Garten zu wohnen, deshalb sind Appartmenthäuser sehr beliebt.

[和室] Washitsu- Japanisches Zimmer

伝統的な日本特有の部屋。床はイグサで作られた畳を敷き詰め、空間は、紙と木で作られた障子で仕切られている。靴、上履きのような履物は脱いで入る。

Ein typisches japanisches Zimmer. Der Boden ist mit Tatamimatten belegt, die aus Igusagras geflechtet sind. Die Wände bestehen aus Papier und Holz. Man zieht Schuhe und Hausschuhe aus, wenn man dieses Zimmer betritt.

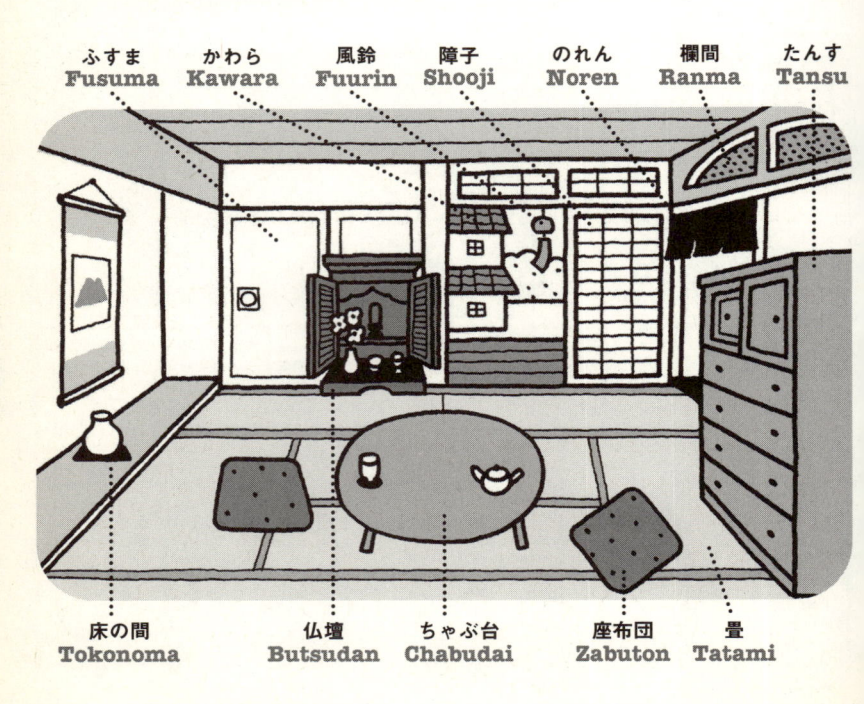

私は〜に住んでいます

Ich wohne in 〜

イッヒ ヴォーネ イン 〜

ふすま	Fusuma
かわら	Kawara
風鈴	Fuurin
障子	Shooji
のれん	Noren
欄間	Ranma
たんす	Tansu
床の間	Tokonoma
仏壇	Butsudan
ちゃぶ台	Chabudai
座布団	Zabuton
畳	Tatami

娯楽
Goraku (Unterhaltung)

私の国を紹介します。
Ich will Mein Land Vorstellen.

[プリクラ] Purikura

設置された画面を操作しながら写真を撮り、数十秒でシールにできる機械。特に女子学生に人気。

Man läßt sich von der Printclubmaschine fotographieren und bedient sich am Bildschirm. In allerkürze hat man orginelle Fotoaufkleber von sich selber. Es gibt Maschinen, wo man die Bildaufnahmewinkel ändern, Schriftzeichen eingeben kann. Besonders beliebt bei Schulmädchen.

[カラオケ] Karaoke

街のいたるところにカラオケ店があり、老若男女に楽しまれている。

Es gibt überall in der Stadt Karaokegeschäfte, altes und junges Volk vergnügt sich. Man kann seine Lieblinglieder aus voller Kehle singen, als wäre man der Sänger selber. Es ist ein guter Streßabbau.

[パチンコ] Pachinko

パチンコは、大人向けの娯楽の代表である。遊ぶことができるのは18歳から。機種ごとにルールは異なる。玉がたくさんたまったら景品に交換できる。

Pachinko ist ein Repräsentant der Vergnügung für Erwachsene. Man darf ab 18 Pachinko spielen. Jede Maschine hat seine eigenen Spielregeln.Wenn man viele Kugeln gewonnen hat kann man es je nach Kugelzahl mit Waren umtauschen.

[ゲームセンター] Geemusenter

さまざまなゲーム機器が揃っている遊技施設。子供だけではなく、学生やサラリーマンが楽しむ姿も多くみられる。

Ein Salon, wo es verschiedene Spielmaschinensorten gibt. Es sind nicht nur Kinder, sondern auch viele Schüler und Büroangsellte haben ihren Vergnügen an solchen Spielsalons.

[麻雀] Mahjongh

1920年代に中国から伝わったゲーム。最初に13個の牌を持ち、トランプのように引いては捨て、を繰り返し、決まった組合せを考える。

Ein Spiel aus China, das um 1920 rum nach Japan überliefert wurde. Jeder Spieler hat 13 Steine. Jedes Mal, wenn man an der Reihe ist tauscht man seine Steine aus und versucht bestimmte Steinkombination zusammen zu bekommen.

[マンガ喫茶] Manga-kissa

一定の料金を支払えば、ドリンクや軽食と共にマンガや雑誌を閲覧できる店。インターネットや仮眠施設を備えているところも多い。

Wenn man eine bestimmte Summe bezahlt hat, kann man sich Softgetränke und Essen bestellen und Mangas und Zeitschriften lesen. Oft haben solche Geschäfte Internet und einfache Schlafmöglichkeiten. In den Städten haben solche Geschäfte 24 Stunden auf.

[競馬・競輪・競艇]
Keiba (Pferderennen) Keirin (Radrennen) Kyotei (Motorbootrennen)

日本で法的に認められているギャンブル。競馬は国内に点在する競馬場や場外売り場で馬券を購入できる。

Es sind die gesetzlich erlaubten Glücksspiele in Japan. Wettschein bei Pferderennen kann man an verschiedenen Wettschalter innerhalb Japans kaufen.

[温泉] Onsen

世界有数の火山国である日本には温泉が数多くある。泉質によってさまざまな効能があるが、何よりゆったりリラックスできるので多くの人が休日を利用して温泉を訪れる。

Japan ist ein Land mit vielen Vulkanen. Es gibt unzählig viele heiße Quellen. Je nach Zusammensetzung der Mineralien hat es verschiedene Wirkungen. Aber die entspannende Wirkung ist das Wichtigste, warum viele Japanern in ihrer Freizeit solche Quellen aufsuchen.

column ～「ドイツ流」マスターへの道～

議論好きのドイツ人は、ジョークも大好き

　ドイツ人が議論好きなのは世界的に有名な話ですね。でもドイツ人は、いつでも小難しい顔をして人と意見を戦わせているワケじゃありません。根っから話好きのドイツ人は、会話にユーモアやウイットも欠かしません。だからジョークも大好きなんです。別にネタ帳をつけている人はいないでしょうが、面白いジョークを聞いたら、それをマスターして次の機会に仲間に披露しなきゃ、と考えるほど。スベッたら会話が台無し、ネタはよくてもカンでしまったらバカにされるので、かなりホンキです。

　そんなことですから、流行のジョークは何度も違う人から聞くということも常で、ときには大ブレイクして国民的ジョークとなるものもあります。ちょっと古い話ですが、永く首相を務めていたヘルムート・コール氏ネタなどは、その典型といえます。日本のタレントさんの一発ギャグと違って、条件反射的に笑いを取るのではなく、じっくり聞いて一瞬「？」と考え、理解すると思いっきり笑える、そんなドイツ人好みな味がよく出ているので、ここで披露しておきましょう。

コール氏ネタ・その1

　コールが英・サッチャー首相、仏・ミッテラン大統領と一緒に出かけたとき、3人の乗った車が事故を起こしてしまいました。サッチャーは急いで車を降りると、"I'm sorry !"、続いてミッテランも "I'm sorry, too."。するとコールは "I'm sorry, three." と言いました。

コール氏ネタ・その2

　大富豪に招かれた米・レーガン大統領と ミッテラン、コール。水が願ったモノに変わるという魔法のプールで泳いだときのこと、レーガンは「バーボン」と叫んで飛び込みました。ミッテランはもちろん「シャンパン」。それでコールはというと、プールの端で滑って"Scheiße（シャイセ）"と叫んでしまいました。哀れコールは……。

　Scheißeの意味は本書132ページで確認してくださいね。この話にはさらに、再トライしてめでたく「ピルス（ビール）」と叫んで飛び込んだコールが傷だらけでプールから出てきた、というオチが用意されています。ピルスは注ぐのに時間がかかるから、まだプールは泡だけだったというワケです。

コール氏ネタ・その3

　レーガン、ミッテラン、コールがテロリストに捕まり銃殺されそうになったときのこと、レーガンが"Typhoon"と叫ぶと銃を構えた兵士はパニックを起こし逃げていきました。ミッテランは"Thunder"と叫んで命拾い。それでコールは……。なんと、"Fire"と叫んだんですって。

ドイツで会話を楽しむための基本情報が満載

知っておこう

ドイツまるわかり ——————————————— P126
ドイツ語が上達する文法講座 ———————— P128
ドイツにまつわる雑学ガイド ————————— P132
ドイツ語で手紙を書こう！ ————————————— P135
50音順ドイツ語単語帳（日本語→ドイツ語）—— P136

ドイツまるわかり

ドイツ連邦共和国　　　　　　　　Bundesrepublik Deutschland

国のあらまし　ドイツ　VS　日本

	ドイツ	日本
面積	35万7000km² （ドイツの面積は日本より若干小さい）	37万7914.78km²
人口	約8253万人（2003年）	約1億2775万7000人（2005年）
政体	連邦共和制	立憲君主制
国歌	Deutschlandlied	君が代
首都	ベルリン（人口約333万人、2004年）	東京（人口約1256万800人、2006年）
公用語	ドイツ語	日本語

ドイツ　旅のヒント

【時差】
日本とドイツの間には8時間の時差があり、ドイツのほうが日本より遅れている。日本が正午の場合、ドイツは同日の午前4時。サマータイム制を導入しており、3月最終日曜～10月最終土曜の間は時差が7時間となる。

【通貨】
ユーロ€1＝100 c。
€1＝約143円（2006年2月現在）

【電圧】
ドイツの電圧は220ボルト／50ヘルツ。日本（100ボルト／50～60ヘルツ）と違うので、日本の家電製品はそのままでは使用できない。変圧器とアダプター（CタイプかSEタイプ）が必要。

【チップ】
サービスへの感謝の気持ちとして、チップを払う習慣がある。目安は以下の通り。
レストラン／料金の5～10％（サービス料が加算されている場合はひとり€1程度）
タクシー／料金の10％
ポーター／荷物1個につき€1
ホテルのメイド、ルームサービス／€0.50

【郵便】
切手の購入は、郵便局の窓口の他、ポストやキオスクの横にある自動販売機で購入できる。投函は郵便局や町のポストに。ホテルのフロントに依頼することも可能。日本へのエアメールは、はがき€1.02、手紙20gまでが€1.53。なお、郵便局もポストも黄色の地に黒いホルンのマークが目印。

温度比較

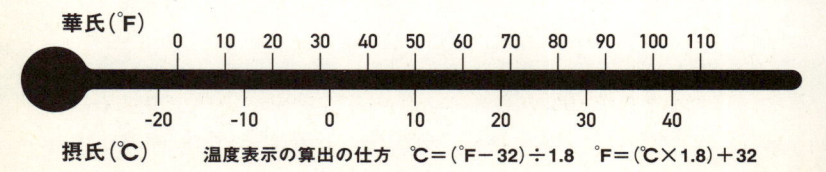

華氏（°F）

摂氏（℃）　　温度表示の算出の仕方　℃＝（°F－32）÷1.8　°F＝（℃×1.8）＋32

度量衡

長さ

メートル法		ヤード・ポンド法				尺貫法			
メートル	キロ	インチ	フィート	ヤード	マイル	海里	寸	尺	間
1	0.001	39.370	3.281	1.094	-	-	33.00	3.300	0.550
1000	1	39370	3281	1094.1	0.621	0.540	33000	3300	550.0
0.025	-	1	0.083	0.028	-	-	0.838	0.084	0.014
0.305	-	12.00	1	0.333	-	-	10.058	1.006	0.168
0.914	0.0009	36.00	3.00	1	0.0006	0.0004	30.175	3.017	0.503
1609	1.609	63360	5280	1760	1	0.869	53107	5310.7	885.12
0.030	-	1.193	0.099	0.033	-	-	1	0.100	0.017
0.303	0.0003	11.930	0.994	0.331	0.0002	0.0002	10.00	1	0.167
1.818	0.002	71.583	5.965	1.988	0.001	0.0009	60.00	6.00	1

重さ

メートル法			ヤード・ポンド法		尺貫法		
グラム	キログラム	トン	オンス	ポンド	匁	貫	斤
1	0.001	-	0.035	0.002	0.267	0.0003	0.002
1000	1	0.001	35.274	2.205	266.667	0.267	1.667
-	1000	1	35274	2204.6	266667	266.667	1666.67
28.349	0.028	0.00003	1	0.0625	7.560	0.008	0.047
453.59	0.453	0.0005	16.00	1	120.958	0.121	0.756
3.750	0.004	-	0.132	0.008	1	0.001	0.006
3750	3.750	0.004	132.2	8.267	1000	1	6.250
600.0	0.600	0.0006	21.164	1.322	160.0	0.160	1

面積

メートル法		ヤード・ポンド法		尺貫法		
アール	平方キロメートル	エーカー	平方マイル	坪	反	町
1	0.0001	0.025	0.00004	30.250	0.100	0.010
10000	1	247.11	0.386	302500	1008.3	100.83
40.469	0.004	1	0.0016	1224.12	4.080	0.408
25906	2.59067	640.0	1	783443	2611.42	261.14
0.033	0.000003	0.0008	-	1	0.003	0.0003
9.917	0.00099	0.245	0.0004	300.0	1	0.100
99.174	0.0099	2.450	0.004	3000.0	10.000	1

体積

メートル法			ヤード・ポンド法		尺貫法		
立方センチ	リットル	立方メートル	クォート	米ガロン	合	升	斗
1	0.001	0.000001	0.0011	0.0002	0.006	0.0006	0.00006
1000	1	0.001	1.057	0.264	5.543	0.554	0.055
-	1000	1	1056.8	264.19	5543.5	554.35	55.435
946.35	0.946	0.0009	1	0.25	5.246	0.525	0.052
3785.4	3.785	0.004	4.00	1	20.983	2.098	0.210
180.39	0.180	0.00018	0.191	0.048	1	0.100	0.010
1803.9	1.804	0.0018	1.906	0.476	10.00	1	0.100
18039	18.04	0.018	19.060	4.766	100.00	10.00	1

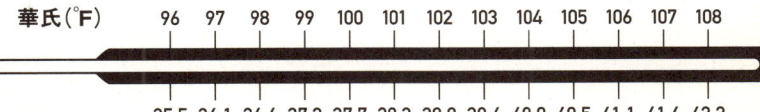

華氏(°F)	96	97	98	99	100	101	102	103	104	105	106	107	108
摂氏(°C)	35.5	36.1	36.6	37.2	37.7	38.3	38.8	39.4	40.0	40.5	41.1	41.6	42.2

ドイツ語が上達する文法講座

講座1　文字と発音を知ろう

ドイツ語の文字には、英語で使われる26文字とドイツ語特有の4文字があります。

a アー	b ベー	c ツェー	d デー	e エー	f エフ	g ゲー	h ハー	i イー
j ヨット	k カー	l エル	m エム	n エヌ	o オー	p ペー	q クー	r エル
s エス	t テー	u ウー	v ファウ	w ヴェー	x イクス	y ユプシロン	z ツェット	ß エスツェット

ä エー（日本語の「エー」「エ」とほぼ同じ）	ö エー（口を「オ」の形にして「エ」と発音）	ü ユー（口を「ウ」の形にして「イ」と発音）

　例外はあるもののアルファベットはそのまま読むので、日本人にとってはフランス語などよりは読みやすい言語かも知れません。ラテン語系の言葉との違いは、Hを「ハー」と発音することです。例外的な組合せとしては、tsch「チュ」（例：Deutsch ドイチュ）、ch「ヒ」（例：ich イッヒ）、ie「イー」（例：Wie ヴィー）、eu「オイ」（例：euch オイヒ）、ei, ai, ey「アイ」（例：Meier, Maier, Meier　マイヤー）などがあります。

講座2　ドイツ語は難解な言葉？　まずはしくみを知ろう

　ちょっと耳にしただけでも長くて理屈っぽいし、面倒くさそう。ドイツ語を勉強しようとしたことのある人なら、誰でもこんな風に思った経験があるのでは？「憶えなければならないことが、たくさんあって」。日本人のドイツ語に対するそんなイメージは、ハッキリ言って正しいのです。ではなぜ、ドイツ語は難しいのでしょうか？

■人称代名詞が格変化する

　ドイツ語には「私は」「私に」「私を」に当たる単語がそれぞれに存在します。助詞で格を使い分ける日本語から考えれば面倒ですが、言ってみればこれはドイツ語も英語と同じです。
　この人称代名詞は、英語と似ているようでいて、実は違うところも、いくつかあるのです。
　まず、2人称に2つの種類があります。初対面の人や目上の人には、敬称のSieを使い、親しい間柄の相手には、親称のduを使います。
　次に、3人称は、人を指すときだけでなく、ものを指すときにも使います。男性名詞ならer、女性名詞ならsie、中性名詞ならesというように、男性名詞、女性名詞、中性名詞の代用形として使います。これは、英語と全く違うところです。

格	私	君 (親称)	彼	彼女	それ	私たち	君たち (親称)	彼ら (それら)	あなた (たち)(敬称)
1格 (〜が)	ich イッヒ	du ドゥー	er エア	sie ズィー	es エス	wir ヴィーア	ihr イーア	sie ズィー	Sie ズィー
3格 (〜に)	mir ミア	dir ディア	ihm イーム	ihr イーア	ihm イーム	uns ウンス	euch オイヒ	ihnen イーネン	Ihnen イーネン
4格 (〜を)	mich ミッヒ	dich ディッヒ	ihn イーン	sie ズィー	es エス	uns ウンス	euch オイヒ	sie ズィー	Sie ズィー

■名詞に性別、冠詞も語尾変化

ドイツ語の名詞には固有名詞も含め、男性・女性・中性の性別があって、それによって異なる格変化をします。そして、名詞の前につく冠詞（英語でいうところのa＝不定冠詞やthe＝定冠詞）、形容詞、さらに名詞の語尾まで使われる格に応じて変化するのです。また、前置詞によって名詞の格が決まるものもあります。

格	単数			複数形
	男性（男性）	女性（女性）	中性（子供）	
1格（〜が）	der Mann デア マン	die Frau ディー フラウ	das Kind ダス キント	die Kinder ディー キンダー
2格（〜の）	des Mannes デス マンネス	der Frau デア フラウ	des Kindes デス キンデス	der Kinder デア キンダー
3格（〜に）	dem Mann デム マン	der Frau デア フラウ	dem Kind デム キント	den Kindern デン キンデルン
4格（〜を）	den Mann デン マン	die Frau ディー フラウ	das Kind ダス キント	die Kinder ディー キンダー

■動詞も語尾変化

当然、動詞も主語の人称に応じて語尾変化します。また、英語同様に規則動詞、不規則動詞がありますが、ここでは規則的に変化する「sagen（言う）」を挙げます。不規則な変化をする「sein（〜である）」「haben（持っている）」は本書131ページを参照してください。もちろん、助動詞も同様に人称によって変化します。

ちなみに、助動詞は、動詞に話し手の主観的判断を付け足すもので、können（〜できる、〜してもかまわない）、dürfen（〜してもよい）、wollen（〜するつもりだ、〜が欲しい）、müssen（〜しなければならない、〜に違いない）、mögen（〜かもしれない、〜を好む、〜したい）、möchte（〜したい）、sollen（〜しなければならない）などがあります。また、助動詞にも、英語と似ているものがあります。

sagen（言う）					
ich	sage	ザーゲ	wir	sagen	ザーゲン
du	sagst	ザークスト	ihr	sagt	ザークト
er(sie, es)	sagt	ザークト	sie	sagen	ザーゲン
			Sie	sagen	ザーゲン

知っておこう

■形容詞も語尾変化

形容詞が名詞を修飾するときには、その性別、数、格、冠詞の有無によって語尾変化します。

格	単数			複数形
	男性 (おいしいワイン)	女性 (おいしいミルク)	中性 (おいしいビール)	(おいしいぶどう)
1格	guter Wein グーター ヴァイン	gute Milch グーテ ミルヒ	gutes Bier グーテス ビーア	gute Trauben グーテ トラウベン

ただし「Der Wein ist gut.(このワインはおいしい)」という場合の「gut」は語尾変化しないので要注意。

ここまで聞けばもう充分でしょうか? これ以外にも、お約束ごととともいえる熟語や分離動詞、再帰代名詞やら再帰動詞なんて日本人としては理解しがたい決まりごとがまだまだあります。

では、どうしたらドイツ語が理解できるのでしょう?

講座3 無理に何でも憶えようとしないことがポイント

翻訳や通訳をしたい、ドイツ語を極めたいというのならともかく、旅先でほんの少しでも現地語でコミュニケーションを楽しみたいというのであれば、ドイツ語の規則を何でも憶えてしまおうとしないのがコツ。理屈っぽい言語ではあるけれど、パターンがつかめれば意外と類推ができるはずです。乱暴な言い方ですが、最低限の原則だけわかったら、あとは実際に試して、間違えながら新しいことを憶えていけばいいのです。

■平叙文

主語に応じて語尾が変化する動詞を「定動詞」といいます。

平叙文では、定動詞を2番目に置きます。簡単に言うと、日本語の語順でドイツ語を並べ、動詞を定型にして2番目にもってくればOK。例えば、「Ich fahre morgen nach Berlin.(イッヒ ファーレ モルゲン ナーハ ベルリーン)」も「Morgen fahre ich nach Berlin.(モルゲン ファーレ イッヒ ナーハ ベルリーン)」も、「私は明日ベルリンへ行きます」との意味。語順が変わっても定動詞の位置は2番目にあります。

■疑問文

はいJaか、いいえNeinで答える疑問文では、定動詞を文頭に置き〔例:Fahren Sie morgen nach Berlin?(ファーレン ズィー モルゲン ナーハ ベルリーン) あなたは明日ベルリンへ行きますか?〕、疑問詞を使う疑問文では、疑問詞を文頭に、定動詞を2番目に置きます〔例:Wann fahren Sie nach Berlin?(ヴァン ファーレン ズィー ナーハ ベルリーン) あなたはいつベルリンへ行きますか?〕(その他の疑問詞は本書100~101ページ参照)。

■否定表現

nichtがつけば、必ず否定文になります〔例:Er spielt nicht Guitarre.(エアー シュピールト ニヒト ギターレ) 彼はギターを弾きません〕。

また、特定されない名詞を否定する場合はkeinを使います。keinは所有冠詞と同じ変化をします〔例:Das ist kein Auto.(ダス イスト カイン アオト) これは車ではありません〕。

■命令文・依頼文

　動詞を文頭に置き、お願いしますbitteをつけます〔例：Sprechen Sie bitte langsamer.（シュプレッヒェン　ズィー　ビッテ　ラングザーマー）もっとゆっくりしゃべって下さい〕。

　なんとかその場を切り抜けるのであれば、とにかく「bitte!」と言って、この本の必要なところを指しましょう。また、許可を得たいときや希望を伝えたいときは、助動詞「darf」〔例：Darf ich hier rauchen?（ダルフ　イッヒ　ヒアー　ラウヘン）ここでたばこを吸ってもいいですか？〕や「möchte」〔例：Ich möchte das.（イッヒ　メヒテ　ダス）これが欲しいのですが〕を使います。

■一夜漬け実践法1（seinとhaben）

　動詞は、「sein（英語のbe動詞）」や「haben（英語のhave）」は知っておいた方がよいのですが、それ以外の大多数の規則変化する動詞は不定形（-enで終わる形）を憶えておいて、あとは類推しましょう（講座2の「動詞も語尾変化」の項を参照）。

	sein（英語のbe動詞）		haben（英語のhave）	
ich	bin	ビン	habe	ハーベ
du	bist	ビスト	hast	ハスト
er (sie, es)	ist	イスト	hat	ハット
wir	sind	ズィント	haben	ハーベン
ihr	seid	ザイト	habt	ハープト
sie	sind	ズィント	haben	ハーベン
Sie	sind	ズィント	haben	ハーベン

■一夜漬け実践法2（よく使うフレーズ）

　Wo?ヴォー（いくら？）など旅の途中で必要な疑問詞（本書100～101ページ参照）や、Haben Sie～?ハーベン　ズィー（～を持っていますか？）などよく使うフレーズだけ憶えて、必要なときは連呼しましょう。

■一夜漬け実践法3（とにかく話しかけてみる！）

　日本に来た外国人が間違った助詞の使い方をすることがありますが、何を言いたいのか聞いて理解できないわけではありませんよね？　旅行でやってきた日本人が、冠詞の格変化や動詞の語尾変化なんて間違っていても、ネイティブはきっと理解してくれるはずです。

　あとは「Guten Tag.（グーテン　ターク）こんにちは」、「Danke Schön.（ダンケ　シェーン）どうもありがとう」、「Bitte（ビッテ）お願いします」、「Verzeihung（フェアツァイウング）ごめんなさい」などを駆使し、とにかく話しかけてみましょう。

■一夜漬け実践法4（知っている言葉をさがしてみる）

　ドイツに行ったら、日本で聞き覚えのある言葉を見たり聞いたりしないか、キョロキョロさがしてみるのも面白いかも知れません。たとえば、Arbeit―日本ではアルバイトでも、ドイツでは仕事の意味。Kindergarten―幼稚園。そのままですね。Park―公園などの意味。英語とも同じですね。Platz―こんな名前の車がありましたっけ。ドイツ語では場所という意味。など、新たな発見があるかもしれません。

ドイツにまつわる雑学ガイド

1 ドイツのブタは"すごい"

ハムやソーセージに代表される豚肉料理が多いドイツでは、ブタへの愛着も強く、言葉としてもSauという語が日常会話でよく使われます。例えば次のような調子。憶えておくと便利な言葉が多いですよ。

Sau doof　　　（ザウ ドーフ／すっごく間抜け）
Sau dumm　　（ザウ デュム／すっごくバカげてる）
Faule Sau　　（ファウレ ザウ／この怠け者）
Dumme Sau　（デュンメ ザウ／オオバカもの）
Fette Sau　　 （フェッテ ザウ／デブ）
Du Sau　　　（ドゥ ザウ／スケベ、不潔なヤツ）
Sau rauslassen（ザウ ラウスラッセン／ハメを外す）
Sauteuer !　　（ザウ トイヤー／とっても高い！）
Sauwetter　　（ザウヴェッター／とっても天気がわるい）
Sauarbeit　　 （ザウアルバイト／すっごくいやな仕事）

なんとなくネガティブな意味で使われることと多いように思われるかも知れませんが、
Sau Gut　　　（ザウ グート／すっげー いい）
Sau Glück　　（ザウ グリュック／すっげー ラッキー）
なんてのもあります。ちなみに、ドイツではブタはテントウムシとともに幸せの象徴となっています。

2 "Scheiße"は禁句!?

ドイツを旅してると"Scheiße（シャイセ）"という言葉を耳にすることがあるでしょう。これってもともと「糞」という意味の単語なんですが、「クッソー、コンチクショー」って意味で腹立たしいときなどによくドイツ人が使います。なんだか、日本語とも同じような感じで面白いですね。

でも、この言葉は決してお行儀のいいモノではありません。よい子がこんなこと言うと、お母さんに"sagt man nicht, macht man nur（ザークト マーン ニヒト マハト マーン ヌアー）言うもんじゃありません、やるだけよ"とたしなめられます。口の悪い人は"sagt man nicht, isst man nur（ザークト マーン ニヒト イシュト マーン ヌアー）言うんじゃないよ、食べるだけだよ"と言うこともあります。何だか、注意のほうがお下劣な感じがしますが……。

3 ドイツ流ビールの楽しみ方

朝から飲む、なんて言うと、今でも日本では不道徳なように思われるかも知れませんね。でもドイツでは、それがオトナの楽しみの一つになってるのです。"Frühschoppen（フリューショッペン）"って"朝から酒をかっくらう"という意味の言葉なんですが、辞書にもちゃんと載っていて、楽しく親睦的に午前中に飲むという注釈がついていました。土曜の朝などは行きつけの"Kneipe（クナイペ）酒場"に行って、いつもの仲間と政治談義やサッカーの話題でビールをあおるのがドイツ流なんですね。

それからもう一つ外せないのが歌。ビアホールでだんだんボルテージが上がってくると、みんなで肩を組んで歌い始めます。
♪Ein Prosit, ein Prosit, der Gemütlichkeit !!
（アイン プロズィート アイン プロズィート デアー ゲミュートリッヒカイト）乾杯、この心地よさにカンパーイって具合です。ホール全体の大合唱は、歌詞の通り、気分爽快そのものですよ。

4 整理整頓と掃除は命がけ!?

Ordnung ist das halbe Leben（オルドゥヌング イスト ダス ハルベ レーベン）、直訳すると「整理整頓は人生の半分だ」という意味で、日頃から整理整頓を怠らないように戒める言葉です。また、掃除好きのドイツ人のなかでもさらに掃除好きな人のことを言う"Putzteufel（プッツトイフェル）掃除魔"という単語もあって褒め言葉のように使われます。どちらも、生真面目そうなドイツ人の性格が表れていますが、誰でも整理整頓、掃除がちゃんとできているかというと、もちろんそんなことはありません。ちなみにドイツ語でも、散らかった汚い部屋は"Saustall（ザウシュタル）ブタ小屋"といいます。

5 3人のマイヤーさん

Meier、Maier、Meyer、これってドイツによくある苗字なんですね。ドイツ語では、eiもaiもそしてeyも「アイ」と発音しますから、皆さん同じマイヤーさんということになってしまいます。このためマイヤーさん同士が会うと「どのマイヤー？」って聞いたり、綴りを間違えられて「私はMeyerじゃなくてMeierよ」なんて指摘することもしばしば。それにマイヤーさん同士が結婚して、マイヤー（Maier）さんの姓がマイヤー（Meyer）さんに変わったって話もたまにあるんです。

6 ペットボトルもデポジット式!!

古城や教会を見学するのもいいのですが、ドイツ人に受け継がれた伝統文化を知るには住宅地を覗いてみるのもオススメです。所々に大きなコンテナがあるでしょう。そうです、これがゴミ分別・リサイクル先進国を自負するドイツのゴミ箱なんです。単にビンと缶を分けるなんてもんじゃないですよ。地域によって多少異なりはしますが、ビンは透明、茶、緑と色別に分別、缶も特殊な処理がいるペイントの物は別にするようになっています。また、街の中には古着や履き古した靴専用のコンテナもあります。もちろん生ゴミ、プラスチック、紙、ダンボール、包装容器などは別々にゴミ出しします。

でも皆さんがもっとビックリするのは頑丈なペットボトルでしょう。ビールやヨーグルトのビンはもちろん、何とペットボトルまでデポジット式のものがあるのです。ペコペコの飲みきりペットボトルに比べカチンコチンに硬くて、大きさやメーカーによって差はありますが、スーパーに持っていくと15centほど返してもらえます。ボトルを入れるとお金が出てくるリターンマシーンが設置されているところもありますから、ドイツ旅行の思い出に一度試してみては如何でしょうか。

輸送費を考えれば軽量化、リサイクル経費を思えば使い捨て、それが目先の経済効率にかなっていたのかも知れませんが、ドイツ人は使える物はトコトン使うようにしてきました。今ではこれが、世界のスタンダードですよね。

4 "egal"なんてないわよ!!

日本人がドイツ人のお宅にお邪魔して「何飲む?」と聞かれて、"egal(エガール)なんでもいい"と言おうもんなら、「うちにはegalなんてないわよ。ハッキリなさい、何が飲みたいの?」とピシャリ。これって本当の話です。ドイツでは、「どうぞ、お構いなく」と言ったら日本のようにお茶が出てくることなんてありません。この人は何も飲みたくないんだなと思いますから。のどが渇いていたら遠慮せずに伝えましょう。ドイツはどんなことでも自己主張しないとやっていけないタフな国なのです。

5 公共トイレは有料

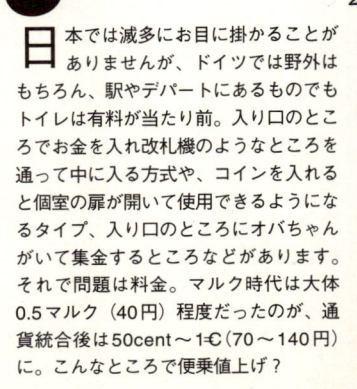

日本では滅多にお目に掛かることがありませんが、ドイツでは野外はもちろん、駅やデパートにあるものでもトイレは有料が当たり前。入り口のところでお金を入れ改札機のようなところを通って中に入る方式や、コインを入れると個室の扉が開いて使用できるようになるタイプ、入り口のところにオバちゃんがいて集金するところなどがあります。それで問題は料金。マルク時代は大体0.5マルク(40円)程度だったのが、通貨統合後は50cent〜1€(70〜140円)に。こんなところで便乗値上げ?

ドイツ語で手紙を書こう！

旅で出会った人や、お世話になった人に、帰国後、手紙を出してみよう。
下記の書き方を参考にして、素直にお礼の気持ちを伝えてみれば友情が深まるはず！

30.Jun.2006

Sehr geehrter Herr Meyer,

Wie geht es Ihnen? Ich bin sicher nach Japan zurückgekommen.
Ich danke Ihnen herzlich für alles, was Sie während meines Aufenthalts in Hamburg für mich getan haben. Ich bin sehr froh, dass Ich Sie kennen gelernt habe.
Ich lege ein Bild bei, daß Ich während unseren gemeinsamen Besuchs in dem Fußballstadion gemacht habe.
Ich hoffe, dass Sie irgendwann einmal Gelegenheit haben werden, mich in Japan zu besuchen.
Viele herzliche Grüße an Sie und Ihre Familie,

Sohta Hara

Sohta Hara

[日付]
日、月(P88を参照)、年の順に

[宛名]
・丁寧な場合
 尊敬するマイヤーさん
 Sehr geerte Frau Meyer, (女性の場合)
・親しい場合
 親愛なるマイヤーさん
 Liebe Frau Schmidt, (女性の場合)
 親愛なるマイヤーさん
 Lieber Herr Meyer, (男性の場合)

[結びの言葉]
・丁寧な場合
 最高のご挨拶を。あなたの原 相太より。
 Mit besten Grüßen. Ihre Sohta Hara
　　　　　　　　　　　　　(名前)

[署名]
署名は自筆で必ず行う

マイヤーさん、お元気ですか？
私は、無事日本に帰国いたしました。ハンブルクでは、大変お世話になりました。
お会いでき、とても充実した旅となりました。一緒に訪ねたサッカー場の写真が出来上がりましたので、同封いたします。
いつか、ぜひ日本にもいらしてください。
また、お会いできるのを楽しみにしています。
ご家族の方々にも、どうぞ、よろしくお伝え下さい。

[宛先の書き方]

左上か裏に、自分の名前と住所を書く。
航空便AIR MAILであることを赤字で明記する。
中央を目安に相手の名前と住所を書く。
国名は、ドイツ語か英語で目立つように大きく。

```
Hara Sohta
25-5 HARAIKATAMACHI,SHINJUKU-KU
TOKYO JAPAN,162-8446

            Frau Meyer
            Bahnhofstrasse 23
            Hamburg Deutschland

AIR MAIL
```

知っておこう

50音順ドイツ語単語帳

日本語 ➡ ドイツ語

※「食べよう」のシーンでよく使う単語には🍽印がついています
※「買おう」のシーンでよく使う単語には🛍印がついています
※「伝えよう」のシーンでよく使う単語には💬印がついています

あ

日本語	ドイツ語
相部屋	**Zimmer teilen** ツィマー タイレン
合う	**passen** パッセン
会う	**sehen** または **treffen** ゼーエン トレッフェン
空き	**frei** フライ
空き部屋	**ein freies Zimmer** (n) アイン フライエス ツィマー
開ける	**öffnen** エフネン
朝	**Morgen** (m) モルゲン
明後日	**übermorgen** ユーバーモルゲン
足	**Fuß** (m) フース
味 🍽	**Geschmack** (m) ゲシュマック
明日 💬	**morgen** モルゲン
預ける	**aufgeben** アウフゲーベン
アスピリン	**Aspirin** (n) アスピリーン
汗	**Schweiß** (m) シュヴァイス
暖かい／温かい	**warm** ヴァルム
頭	**Kopf** (m) コップフ
新しい 🛍	**neu** ノイ
熱い／暑い 🍽	**heiß** ハイス
扱う	**behandeln** ベハンドレン
宛先	**Adresse** (f) アドレッセ
兄 💬	**der ältere Bruder** (m) デア エルテレ ブルーダー
姉 💬	**die ältere Schwester** (f) ディー エルテレ シュヴェスター
雨	**Regen** (m) レーゲン
怪しい	**verdächtig** フェアデヒティヒ
謝る	**sich entschuldigen** ズィッヒ エントシュルディゲン
洗う	**waschen** ヴァッシェン
(〜は) ありますか	**Gibt es 〜?** または **Haben Sie 〜?** ギープトエス ハーベンズィー
歩く	**zu Fuß gehen** または **laufen** ツーフースゲーエン ラウフェン
アルコール類	**Alkohol** (m) アルコホール
アレルギー	**Allergie** (f) アレルギー
安全な	**sicher** ズィッヒャー
案内所	**Auskunftsstelle** (f) アウスクンフツシュテレ

い

いいえ	**nein** ナイン
(〜しても) いいですか	**Kann ich 〜?** または **Darf ich 〜?** カンイッヒ ダルフイッヒ
言う	**sagen** ザーゲン
家	**Haus** (n) ハウス
行き先	**Reiseziel** (n) ライゼツィール
行く	**gehen** ゲーエン
いくらですか 🛍	**Was kostet das?** ヴァスコステットダス
医師	**Arzt** (m) **/Ärztin** (f) アールツト エールツティン
遺失物相談所	**Fundbüro** (n) フントビュロー
異常な	**ungewöhnlich** ウンゲヴェーンリヒ
忙しい	**beschäftigt** ベシェフティヒト
急ぐ	**eilen** または **sich beeilen** アイレン ズィッヒベアイレン
痛い	**schmerzen** シュメルツェン
(〜を) いただけますか	**Darf ich 〜 haben?** ダルフイッヒ〜ハーベン
位置	**Stellung** (f) シュテルング
胃腸薬	**Medikament für Magen und Darm** (n) メディカメント フュア マーゲン ウント ダルム
いつ	**wann** ヴァン
一緒に	**zusammen** ツザメン
いっぱいの	**viel** フィール
一般的な	**allgemein** アルゲマイン
いつも	**immer** イマー
今	**jetzt** イェッツト
入口	**Eingang** (m) アインガング
衣類	**Kleidung** (f) クライドゥング
飲食代	**Rechnung für Speisen und Getränke** レヒヌング フュア シュパイゼン ウント ゲトレンケ

う

日本語	ドイツ語
上	**oben** オーベン
ウエイター	**Kellner** (m) ケルナー
ウエイトレス	**Kellnerin** (f) ケルナーリン
受付	**Rezeption** (f) レツェプツィオーン
受け取る	**erhalten** エアハルテン
失う	**verlieren** フェアリーレン
後ろ	**hinten** ヒンテン
薄い	**dünn** デュン
疑う	**zweifeln** ツヴァイフェルン
腕	**Arm** (m) アルム
腕時計	**Armbanduhr** (f) アルムバントウーア
うまい	**gut** グート
うるさい	**laut** ラウト
上着	**Jackett** (n) ジャケット
運賃	**Fahrpreis** (m) ファールプライス
運転手	**Fahrer** (m) ファーラー
運転する	**fahren** ファーレン
運転免許証	**Führerschein** (m) フューラーシャイン

え

日本語	ドイツ語
エアコン	**Klimaanlage** (f) クリーマアンラーゲ
英語	**Englisch** (n) エングリッシュ
駅	**Bahnhof** (m) バーンホーフ
駅で	**im Bahnhof** イムバーンホーフ
選ぶ	**wählen** ヴェーレン
得る	**bekommen** ベコメン
エレベーター	**Fahrstuhl** (m) ファーシュトゥール
鉛筆	**Bleistift** (m) ブライシュティフト

お

日本語	ドイツ語
おいしい	**lecker** または **gut schmecken** レッカー グート シュメッケン
応援する	**unterstützen** ウンターシュテュッツェン
応急手当	**erste Hilfe** (f) エーアステ ヒルフェ
嘔吐	**Erbrechen** (n) エアブレッヒェン
往復	**Hin- und Rückfahrt** (f) ヒン ウント リュックファールト
往復切符	**Rückfahrkarte** (f) リュックファールカルテ
大きい	**groß** グロース
大きさ	**Größe** (f) グレーセ
大きめ	**größer** グレーサー
おかわり	**die zweite Portion** ディ ツヴァイテ ポルツィオーン
起きる	**aufstehen** アウフシューテーエン
置く	**stellen** または **legen** シュテレン レーゲン
屋外の	**draußen** ドラウセン
屋内の	**drinnen** ドリネン
送る	**schicken** シッケン
遅れる	**sich verspäten** ズィッヒ フェアシュペーテン
教える	**lehren** または **sagen** レーレン ザーゲン
押す	**drücken** ドリュッケン
遅い	**spät** シュペート
おつり	**Wechselgeld** (n) ヴェクセルゲルト
音	**Ton** (m) トーン
男	**Mann** (m) マン
訪れる	**besuchen** ベズーヘン
おととい	**vorgestern** フォーアゲスターン
大人	**Erwachsene** (m, f) エアヴァクセネ
同じ／同じ物	**gleich / dasselbe Ding** (n) グライヒ ダスゼルベ ディング
おはよう	**Guten Morgen.** グーテン モルゲン
覚える／思い起こさせる	**sich erinnern** ズィッヒエアリナーン
重い	**schwer** シュヴェーア
思う	**glauben** または **denken** グラウベン デンケン
面白い	**interessant** インテレサント
親〔両親〕	**Eltern** (pl) エルターン
おやすみなさい	**Gute Nacht.** グーテナハト
降りる	**aussteigen** アウスシュタイゲン
終わり	**Ende** (n) エンデ

★ 出入国編 ★

日本語	ドイツ語	カナ
入国審査	**Passkontrolle** (f)	パスコントロレ
検疫	**Quarantäne** (f)	カランテーネ
居住者	**Bewohner** (m)	ベヴォーナー
非居住者	**Nichtbewohner** (m)	ニヒトベヴォーナー
パスポート	**Pass** (m)	パス
ビザ	**Visum** (n)	ヴィーズム
サイン	**Unterschrift** (f)	ウンターシュリフト
入国目的	**Einreisezweck** (f)	アインライゼツヴェック
観光	**Urlaubsreise** (f)	ウアラウプスライゼ
商用	**Geschäftsreise** (f)	ゲシェフツライゼ
滞在予定期間	**Aufenthaltsdauer** (f)	アウフェントハルツダウアー
乗り継ぎ	**Umsteigen** (n)	ウムシュタイゲン
荷物引取り	**Ggepäckausgabe** (f)	ゲペックアウスガーベ
税関審査	**Zollkontrolle** (f)	ツォルコントロレ
免税／課税	**zollfrei**	ツォルフライ
	verzollen	フェアツォレン

終わる	enden エンデン	帰る	zurückkommen ツリュックコメン	カメラ	Kamera (f) カメラ
か		顔	Gesicht (n) ゲズィヒト	カレーソーセージ	Currywurst (f) カレーヴルスト
カード	Karte (f) カルテ	鏡	Spiegel (m) シュピーゲル	川	Fluss (m) フルス
外貨	ausländische Währung (f) アウスレンディッシェ ヴェールング	鍵	Schlüssel (m) シュリュッセル	観光案内所	Touristeninformation (f) トゥリステンインフォルマツィオーン
		鍵をかける	abschließen アプシュリーセン	勘定書	Rechnung (f) レヒヌング
会計	Kasse (f) カッセ	書く	aufschreiben アウフシュライベン	**き**	
解決する	lösen レーゼン	学生	Student (-tin) (m, f) シュトゥデント (ティン)	木	Baum (m) バウム
外国人	Ausländer (m) アウスレンダー	学生証	Studentenausweis (m) シュトゥデンテンアウスヴァイス	キー	Taste (f) タステ
外国の	ausländisch アウスレンディッシュ	学生割引	Studentenermäßigung (f) シュトゥデンテンエアメースィグング	北	Norden (m) ノルデン
改札口	Sperre (f) シュペレ	確認／確認する	Bestätigung (f) / bestätigen ベシュテーティグング ベシュテーティゲン	貴重品	Wertsachen (pl) ヴェーアトザッヘン
会社	Firma (f) フィルマ			切符	Fahrkarte (f) ファールカルテ
会社員	Angestellte (m, f) アンゲシュテルテ	傘	Schirm (m) シルム	休暇	Urlaub (m)または Ferien (f) ウアラウプ フェーリエン
回数券	Mehrfahrtenkarte (f) メーアファールテンカルテ	かぜ	Erkältung (f) エアケルトゥング	休憩	Pause (f) パウゼ
快適な	bequem ベクヴェーム	かぜ薬	Medikament gegen Erkältung (n) メディカメントゲーゲン エアケルトゥング	禁煙席	Nichtraucherplatz (m) ニヒトラウハープラッツ
ガイドブック	Reiseführer (m) ライゼフューラー			金額	Betrag (m) ベトラーク
買い物	Einkauf (m) アインカウフ	家族	Familie (f) ファミーリエ	緊急	Notfall (m) ノートファル
買い物に行く	einkaufen gehen アインカウフェンゲーエン	片道	Hinfahrt (f) ヒンファールト	銀行	Bank (f) バンク
会話	Konversation (f) コンヴェルザツィオーン	片道切符	einfache Karte (f) アインファッヘカルテ	**く**	
買う	einkaufen アインカウフェン	学校	Schule (f) シューレ	空席	freier Platz (m) フライアー プラッツ
替える	wechseln ヴェクセルン	家庭	Familie (f) ファミーリエ	薬	Medizin (f) メディツィーン

★ 電話・通信編 ★

公衆電話	öffentliches Telefon (f)	エッフェントリヒェス テレフォーン
市内通話	Ortsgespräch (n)	オルツゲシュプレーヒ
長距離通話	Ferngespräch (n)	フェルンゲシュプレーヒ
国際電話	Auslandsgespräch (n)	アウスラーンツゲシュプレーヒ
指名通話	R-Gespräch (n)	アールゲシュプレーヒ
コレクトコール	R-Gespräch (n)	アールゲシュプレーヒ
番号ボックス	Telefonzelle (f)	テレフォーンツェレ
テレフォンカード	Telefonkarte (f)	テレフォーンカルテ
ファクシミリ	Fax (n)	ファックス
航空便	mit Luftpost	ミット ルフトポスト
船便	per Shiff	ペル シフ
ポスト	Postkarten (m)	ポストカルテン
切手	Briefmarke (f)	ブリーフマーケ
インターネット	Internet (n)	インターネット

車	Auto (n) アウトー
クレジットカード	Kreditkarte (f) クレディートカルテ
黒	schwarz シュヴァルツ
け	
警察	Polizeirevier (n) ポリツァイレヴィーア
経由	über ユーバー
けがをした	verletzt フェアレッツト

血液型	Blutgruppe (f) ブルートグルッペ		コンセント	Steckdose (f) シュテックドーゼ		支払い	Bezahlung (f) ベツァールング
下痢	Durchfall (m) ドゥルヒファル		コンタクトレンズ	Kontaktlinse (f) コンタクトリンゼ		閉める	schließen または zumachen シュリーセン ツーマッヘン
検査	Untersuchung (f) ウンターズーフング		今晩	heute Abend ホイテ アーベント		蛇口	Wasserhahn (m) ヴァッサーハーン
現像	Entwicklung (f) エントヴィックルング		こんばんは	Guten Abend. グーテン アーベント		シャワー付き	mit Dusche ミット ドゥッシェ
こ			**さ**			シャンプー	Shampoo (n) シャンプー
コインロッカー	Schließfach (n) シュリースファッハ		サービス料	Bedienungsgeld (n) ベディーヌングスゲルト		週	Woche (f) ヴォッヘ
硬貨	Münze (f) ミュンツェ		再発行	neue Schecks (pl) ノイエ シェックス		収集	Sammlung (f) ザムルング
郊外	Vorort (m) フォーアオルト		財布	Geldbeutel (m) ゲルトボイテル		住所	Adresse (f) アドレッセ
交換	Wechsel (m) ヴェクセル		サイン	Unterschrift (f) ウンターシュリフト		ジュース	Saft (m) ザフト
交差点	Kreuzung (f) クロイツング		先払い	Vorausbezahlung (f) フォラウスベツァールング		自由席	Nicht reservierter Platz (m) ニヒト レゼルヴィーアター プラッツ
公衆電話	öffentliches Telefon (n) エッフェントリヒェス テレフォーン		酒	Alkohol (m) アルコホール		重要な	wichtig ヴィヒティヒ
交通事故	Verkehrsunfall (m) フェアケーアスウンファル		寒い	kalt カルト		出血	bluten ブルーテン
声	Stimme (f) シュティンメ		寒気	Schüttelfrost (m) シュッテルフロスト		首都	Hauptstadt (f) ハウプトシュタット
故郷	Heimat (f) ハイマート		**し**			趣味	Hobby (n) ホビー
国際運転免許証	internationaler Führerschein (m) インターナツィオナーラー フューラーシャイン		市	Stadt (f) シュタット		紹介する	empfehlen エンプフェーレン
			歯科医	Zahnarzt (m) / Zahnärztin (f) ツァーンアールツト ツァーンエールツティン		錠剤	Tablette (f) タブレッテ
午後	Nachmittag (m) ナーハミッターク		市外局番	Vorwahl (f) フォーアヴァール		使用中	besetzt ベゼッツト
腰	Hüfte (f) ヒュフテ		至急	dringend ドリンゲント			
故障	Defekt (m) デフェクト		事故	Unfall (m) ウンファル		常用薬	tagtägliche Medizin (f) タークテークリヒェ メディツィーン
故障中	außer Betrieb アウサー ベトリープ		時刻表	Fahrplan (m) ファールプラーン			
小銭	Kleingeld (n) クラインゲルト		事故証明書	Unfallbescheinigung (f) ウンファルベシャイニグング		食あたり	Lebensmittelvergiftung (f) レーベンスミッテル フェアギフトゥング
午前	Vormittag (m) フォーアミッターク		静か	ruhig ルーイヒ		食前	vor dem Essen フォア デム エッセン
骨折	Knochenbruch (m) クノッヘンブルッフ		舌	Zunge (f) ツンゲ		食欲	Appetit (m) アペティート
ごみ	Abfälle (pl) アプフェレ		市庁舎	Rathaus (n) ラートハウス		処方箋	Rezept (n) レツェプト
ごみ箱	Mülleimer (m) ミュルカステン		指定席	reservierter Platz (m) レゼルヴィーアター プラッツ		署名	Unterschrift (f) ウンターシュリフト
こわれもの	zerbrechlich ツェアブレッヒリヒ		市内地図	Stadtplan (m) シュタットプラーン			

知っておこう

所有者の名前	Name des Besitzers (m)	ナーメ デス ベズィッツァース
城	Schloss (n)	シュロス
信号	Ampel (f)	アムペル
申告する	verzollen	フェアツォレン

す・せ・そ

スーツケース	Koffer (m)	コッファー
スーパーマーケット	Supermarkt (m)	ズーパーマルクト
スープ	Suppe (f)	ズッペ
好きな	gern	ゲルン
涼しい	kühl	キュール
成分	Bestandteil (m)	ベシュタントタイル
生理日	Menstruationstage (pl)	メンストルアツィオーンスターゲ
生理用品	Damenbinde (f)	ダーメンビンデ
セーフティボックス	Tresor (m)	トレゾーア
咳	Husten (m)	フーステン
ぜんそく	Asthma (n)	アストマ
騒々しい	laut	ラウト

た

大学	Universität (f)	ウニヴェルズィテート
退屈な	langweilig	ラングヴァイリヒ
滞在する	bleiben	ブライベン
滞在予定期間	Aufenthaltsdauer (f)	アウフエントハルツダウアー
大使館	Botschaft (f)	ボートシャフト
台風	Taifun (m)	タイフーン
高い[高さ]	hoch	ホーホ
高い[値段]	teuer	トイアー
たくさんの	viel	フィール
タクシー	Taxi (n)	タクスィ
助ける	helfen	ヘルフェン
尋ねる	fragen	フラーゲン
建物	Gebäude (n)	ゲボイデ
楽しい	fröhlich	フレーリヒ
頼む	bitten	ビッテン
たばこ	Zigarette (f)	ツィガレッテ
旅	Reise (f)	ライゼ
食べる	essen	エッセン
打撲	Prellung (f)	プレルング
試す	probieren	プロビーレン
足りない	nicht ausreichen または fehlen	ニヒト アウスライヒェン フェーレン
単語	Wort (n)	ヴォルト
暖房	Heizung (f)	ハイツング

ち

血	Blut (n)	ブルート
小さい	klein	クライン
近い	nahe	ナーエ
違い	Unterschied (m)	ウンターシート
地下鉄	U-Bahn (f)	ウーバーン
地下鉄駅	U-Bahnhof (m)	ウーバーンホーフ
地図	Landkarte (f)	ラントカルテ
地図[市街]	Stadtplan (m)	シュタットプラーン
父	Vater (m)	ファーター
注意！	Vorsicht!	フォアズィヒト
注射	Injektion (f)	インイェクツィオーン
駐車場	Parkplatz (m)	パルクプラッツ
駐車料金	Parkgebühr (f)	パルクゲビューア
昼食	Mittagessen (n)	ミッタークエッセン
注文する	bestellen	ベシュテレン
長所	Vorteil (m)	フォアタイル
朝食	Frühstück (n)	フリューシュテュック
鎮痛剤	Schmerzmittel (n)	シュメルツミッテル

つ

通貨	Währung (f)	ヴェールング
通行止め	Durchgang verboten	ドゥルヒガング フェアボーテン
通訳する	dolmetschen	ドルメチェン
通路側	am Gang	アムガング
使う	benutzen または verwenden	ベヌッツェン フェアヴェンデン
疲れる	müde	ミューデ
次の	nächst	ネーヒスト
包む	packen または verpacken	パッケン フェアパッケン
冷たい	kalt	カルト
強い	stark	シュタルク

て

手	Hand (f)	ハント
Tシャツ	T-Shirt (n)	ティーシャート
テイクアウト	mitnehmen	ミットネーメン
停留所	Haltestelle (f)	ハルテシュテレ
テーブル	Tisch (m)	ティッシュ
手紙	Brief (m)	ブリーフ
出口	Ausgang (m)	アウスガング
手数料	Gebühren (pl)	ゲビューレン
鉄道駅	Bahnhof (m) または Station (f)	バーンホーフ シュタツィオーン

デパート	Kaufhaus (n)	カウフハウス
テレビ	Fernsehgerät (n)	フェルンゼーゲレート
天気	Wetter (n)	ヴェッター
電気	Strom (m)	シュトローム
天気予報	Wettervorhersage (f)	ヴェッターフォアヘアザーゲ
電源	Stromversorgung (f)	シュトロームフェアゾルグング
電池	Batterie (f)	バテリー
伝統的な	traditionell	トラディツィオネル
電話する	anrufen	アンルーフェン
電話番号	Telefonnummer (f)	テレフォーンヌマー

と

ドイツ語	Deutsch (n)	ドイチュ
トイレ	Toilette (f)	トアレッテ
盗難証明書	Diebstahlbericht (m)	ディープシュタールベリヒト
道路地図	Autokarte (f)	アウトカルテ
遠い	fern または weit	フェルン　ヴァイト
特急列車	Express (m)	エクスプレス
徒歩で	zu Fuß	ツー フース
停まる[バス]	halten	ハルテン
ドラッグストア	Drogerie (f)	ドロゲリー
トラベラーズチェック	Reisescheck (m)	ライゼシェック
トランジットバス	Transitkarte (f)	トランズィットカルテ
取扱い注意	Achtung!	アハトゥング
取り消す	rückgängig machen	リュックゲンギヒ マッヘン
泥棒	Dieb (m)	ディープ

な・に

内線	Nebenanschluss (m)	ネーベンアンシュルス
治る	wieder gesund	ヴィーダー ゲズント
長い	lang	ラング
なくす	verlieren	フェアリーレン
夏	Sommer (m)	ゾマー
名前	Name (m)	ナーメ
似合う	passen	パッセン
苦い	bitter	ビッター
西	Westen (m)	ヴェステン
日本	Japan	ヤーパン
日本語	Japanisch	ヤパーニッシュ
日本人	Japaner (-in) (m, f)	ヤパーナー (リン)
日本大使館	japanische Botschaft (f)	ヤパーニッシェ ボートシャフト
日本料理	japanisches Essen (n)	ヤパーニッシェス エッセン
荷物	Gepäck (n)	ゲペック
入場料	Eintritt (m)	アイントリット
入浴	Baden (n)	バーデン
人間	Mensch (m)	メンシュ

ぬ・ね・の

ぬるい	lauwarm	ラウヴァルム
値段	Preis (m)	プライス
熱	Fieber (n)	フィーバー
眠る	schlafen	シュラーフェン
寝る	ins Bett gehen	インス ベット ゲーエン
残り	Rest (m)	レスト
のどが痛い	Halsschmerzen (pl)	ハルスシュメルツェン
登る	steigen	シュタイゲン
飲みもの	Getränk (n)	ゲトレンク
飲む	trinken	トリンケン
乗り換える	umsteigen	ウムシュタイゲン
乗る	einsteigen	アインシュタイゲン

は

歯	Zahn (m)	ツァーン
はい	ja	ヤー
灰皿	Aschenbecher (m)	アッシェンベッヒャー
吐き気	übel	ユーベル
吐く	erbrechen または speien	エアブレッヘン シュパイエン
運ぶ	bringen	ブリンゲン
場所	Ort (m)	オルト
バス[乗り物]	Bus (m)	ブス
バスタオル	Badetuch (n)	バーデトゥーフ
バス停	Bushaltestelle (f)	ブスハルテシテレ
パソコン	Computer (m)	コンピューター
バッグ	Tasche (f)	タッシェ
鼻	Nase (f)	ナーゼ

★ 両替編 ★

ユーロに交換してください	Bitte wechseln Sie das in Euro um.	ビッテ ヴェクセルン ズィー ダス イン オイロ ウム
小銭をまぜてください	Bitte geben Sie mir auch etwas Kleingeld.	ビッテ ゲーベン ズィー ミア アウフ エトヴァス クラインゲルト
銀行	Bank (f)	バンク
両替所	Wechselstube (f)	ヴェクセルシュトゥーベ
為替レート	Wechselkurs (m)	ヴェクセルクルス
交換率	Wechselrate (f)	ヴェクセルラーテ
外貨交換証明書	Bescheinigung für Auslandswährung (f)	ベシャイニグング フュア アウスランツ ヴェールング

知っておこう

話す	sprechen シュプレッヒェン	不明な	unklar ウンクラール	窓	Fenster (n) フェンスター
速い	schnell シュネル	古い	alt アルト	満足している	zufrieden ツフリーデン
早く	früh フリュー	ベッド	Bett (n) ベット	右	rechts レヒツ
パン	Brot (n) ブロート	部屋	Zimmer (n) ツィマー	水	Wasser (n) ヴァッサー
番号	Nummer (f) ヌマー	ペン	Kugelschreiber (m) クーゲルシュライバー	店	Laden (m) ラーデン
半日の	halbtägig ハルプテーギヒ	勉強する	studieren シュトゥディーレン	見つける	finden フィンデン
パンフレット	Prospekt (m) プロスペクト	変更する	ändern エンダーン	緑	grün グリューン
半分	Hälfte (f) ヘルフテ	返事	Antwort (f) アントヴォルト	南	Süden (m) ズューデン
ひ		便利な	bequem ベクヴェーム	耳	Ohr (n) オーア
火	Feuer (n) フォイアー	**ふ・へ**		みやげ	Geschenk (n) ゲシェンク
日	Tag (m) ターク	包装	Verpackung (f) フェアパックング	みやげ物店	Souvenirladen (m) ズヴェニーアラーデン
ビール	Bier (n) ビーア	包帯	Verband (m) フェアバント	見る	sehen ゼーエン
東	Osten (m) オステン	訪問する	besuchen ベズーヘン	民芸品店	Volkskunstgeschäft (n) フォルクスクンストゲシェフト
低い	niedrig ニードリヒ	ポーター	Pförtner (m) プフェルトナー	**ま・み**	
非常口	Notausgang (m) ノートアウスガング	ポーター料	Gepäckträgerpreis (m) ゲペックトレーガープライス	虫	Insekt (n) インゼクト
日付	Datum (n) ダートゥム	ホテル	Hotel (n) ホテル	蒸し暑い	schwül シュヴュール
人	Person (f) ペルゾーン	骨	Knochen (n) クノッヘン	息子	Sohn (m) ゾーン
ひどく	heftig ヘフティヒ	本	Buch (n) ブーフ	娘	Tochter (f) トホター
日焼け	Sonnenbrand (m) ゾネンブラント	翻訳	Übersetzung (f) ユーバーゼッツング	無料	frei または kostenlos フライ コステンロース
病院	Krankenhaus (n) クランケンハウス	**む・め・も**		目	Auge (n) アウゲ
病気	Krankheit (f) クランクハイト	毎週	jede Woche イェーデ ヴォッヘ	明細	Einzelheiten (pl) アインツェルハイテン
昼	Tag (m) ターク	毎日	jeden Tag イェーデン ターク	眼鏡	Brille (f) ブリレ
ほ		前売券	Vorverkaufskarte (f) フォーアフェアカウフスカルテ	目覚まし時計	Wecker (m) ヴェッカー
服	Kleidung (f) クライドゥング	枕	Kopfkissen (n) コップフキッセン	目印	Zeichen (n) ツァイヒェン
袋	Tüte (f) テューテ	街	Stadt (f) シュタット	目玉焼き	Spiegelei (n) シュピーゲルアイ
普通列車	Personenzug (m) ペルゾーネンツーク	待合室	Wartesaal (m) ヴァルテザール	メニュー	Speisekarte (f) シュパイゼカルテ
太い	dick ディック	間違い	Fehler (m) フェーラー	めまい	schwindelig シュヴィンデリヒ

日本語	ドイツ語
メモ用紙	**Notizbuch** (n) ノティーツブーフ
免許証	**Führerschein** (m) フューラーシャイン
免税	**zollfrei** ツォルフライ
免税品	**zollfreie Sachen** (pl) ツォルフライエ ザッヘン
申込み	**Anmeldung** (f) アンメルドゥング
毛布	**Decke** (f) デッケ
目的	**Zweck** (m) ツヴェック
持ち帰り	**mitnehmen** ミットネーメン
問題	**Frage** (f)/**Problem** (n) フラーゲ プロブレーム

や・ゆ・よ

やけど	**Brandwunde** (f) ブラントヴンデ
優しい	**freundlich** フロイントリヒ
安い	**billig** ビリヒ
安売り店	**Discountladen** (m) ディスカウントラーデン
薬局	**Apotheke** (f) アポテーケ
柔らかい	**weich** ヴァイヒ
夕方	**Abend** (m) アーベント
有効期間	**Gültigkeitsdauer** (f) ギュルティヒカイツダウアー
夕食	**Abendessen** (n) アーベントエッセン
友人	**Freund** (-din)(m,f) フロイント (ディン)
ユースホステル	**Jugendherberge** (f) ユーゲントヘアベルゲ
有名な	**berühmt** ベリュームト
有料の	**gebührenpflichtig** ゲビューレンプフリヒティヒ
～行き	**nach** または **Richtung** (f) ナーハ リヒトゥング
行き先	**Reiseziel** (n) ライゼツィール
ゆっくりと	**langsam** ラングザーム
指	**Finger** (m) フィンガー

ゆるい	**lose** または **locker** ローゼ ロッカー
酔う [酒／飛行機]	**sich betrinken/ luftkrank sein** ズィッヒ ベトリンケン ルフトクランク ザイン
用意する	**vorbereiten** フォーアベライテン
良く (より良く)	**besser** ベッサー
浴室	**Badezimmer** (n) バーデツィマー
汚れ	**Schmutz** (m) シュムッツ
予定	**Plan** (m) プラーン
呼ぶ	**rufen** ルーフェン
予約	**Reservierung** (f) レゼルヴィールング
予約する	**reservieren** または **buchen** レゼルヴィーレン ブーヘン
予約取消し	**Reservierung rückgängig machen** レゼルヴィールング リュックゲンギヒ マッヘン
夜	**Nacht** (f) ナハト

る・れ・ろ

来月	**nächster Monat** (m) ネーヒスター モーナート
来週	**nächste Woche** (f) ネーヒステ ヴォッヘ
ランドリー	**Waschküche** (f) ヴァッシュキュッヘ
理解する	**verstehen** フェアシュテーエン
料金	**Gebühren** (pl) ゲビューレン
料金表	**Preisliste** (f) プライスリステ
料金メーター	**Taxameter** (f) タクサメーター
領収書	**Quittung** (f) クヴィットゥング
両親	**Eltern** (pl) エルターン
療養	**Kur** (f) クーア
料理	**Speise** (f) シュパイゼ
旅行	**Reise** (f) ライゼ

ら・り

ルームサービス	**Zimmerservice** (n) ツィマーゼーアヴィス
留守	**Abwesenheit** (f) アプヴェーゼンハイト
冷房	**Klimaanlage** (f) クリーマアンラーゲ
レジ	**Kasse** (f) カッセ
レシート	**Quittung** (f) クヴィットゥング
レストラン	**Restaurant** (n) レストラーン
列車	**Zug** (m) ツーク
列車の遅れ	**Verspätung** (f) フェアシュペートゥング
連絡／連絡する	**Mitteilung** (f)/ **mitteilen** ミットアイルング ミットアイレン
連絡先	**Kontaktadresse** (f) コンタクトアドレッセ
廊下	**Korridor** (m)/ **Flur** (m) コリドーア フルーア
路地	**Gasse** (f) ガッセ
路線図	**Linienplan** (m) リーニエンプラーン
ロッカー	**Schließfach** (n) シュリースファッハ
ロビー	**Foyer** (n) フォイエアー

わ

ワイシャツ	**Hemd** (n) ヘムト
ワイン	**Wein** (m) ヴァイン
ワインリスト	**Weinliste** (f) ヴァインリステ
若い	**jung** ユング
分ける	**teilen** タイレン
忘れる	**vergessen** フェアゲッセン
渡す	**geben** ゲーベン
割引	**Ermäßigung** (f) エアメースィグング
悪い	**schlecht** シュレヒト

イラスト会話ブック
Illustrated Conversation Book

ドイツ [Deutschland] ドイツ語

イラスト会話ブック
ラインナップ

韓国
タイ
イタリア
ドイツ

続刊予定

中国
台湾
香港
フィリピン
ベトナム
フランス
アメリカ
ハワイ

初版印刷	2006年3月15日
初版発行	2006年4月1日 （Apr.1,2006, 1st edition）
編集人	黒澤明夫
発行人	江頭 誠
発行所	JTBパブリッシング
印刷所	凸版印刷
●企画／編集	海外情報部
●編集／執筆	リリーフ・システムズ （小林和彦　原若菜）
●表紙デザイン	中野文俊（direct inc.）
●本文デザイン	direct inc.／アイル企画
●翻訳	クラウディア A. マーツ
●組版	凸版印刷
●イラスト	宮本明子／霧生さなえ
●漫画	玖保キリコ
●編集協力	小澤直、岡田ミュラー陽子 クルー（松井志麻）、コパン チーム88、木崎伸也 津久井美智江、谷羽美紀 田中稔子、菊田みどり

●JTBパブリッシング
〒162-8446
東京都新宿区払方町25-5
編集：☎03-6888-7878
販売：☎03-6888-7893
広告：☎03-6888-7831

●旅とおでかけ旬情報
http://www.rurubu.com/

禁無断転載・複製
© JTB Publishing Inc. 2006 Printed in Japan
054335　757140　ISBN-4-533-06304-7

JTB *For Your Travel & Life*
世界をつなぐ旅と心